JN087525

Android の基本画面①

ホーム画面
引き下げ
２回続けて
引き下げ
通知パネル
スマホ本体やアプリで設定している通知が、ここに表示されます。
クイック設定パネル
［設定］アプリを起動しなくても、マナーモード、無線LAN、ブルートゥースなどを設定できます。
［設定］アプリ
スマホ本体やアプリの設定を行います。
アプリ切り替え画面
起動中のアプリが画面上に一覧表示されます。アプリの切り替えや終了ができます。
戻るボタン
１つ前の画面に戻ります。
ホームボタン
ホーム画面に戻ります。
Googleアシスタント
次のようにに言ってみてください
「Gmailを開く」
ホームボタンの長押しで起動。音声や文字入力による質問に答えたり、天気や経路を調べたりできます。
※スマートフォンのメーカーによって画面は異なります。

Android の基本画面②

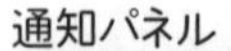

通知パネル

メールやSNSのメッセージや着信などが通知されます。
表示しているすべてを画面から消去します。
[設定]アプリを表示します。

クイック設定パネル

※以降はスマホ本体のメーカーごとに設定項目が異なります。

[設定]アプリ

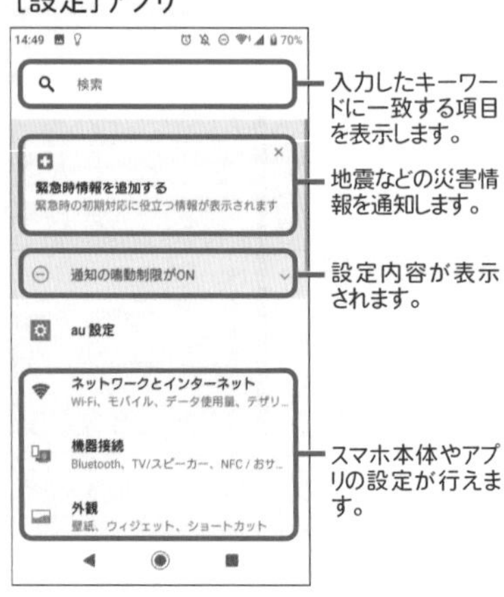

アプリ切り替え画面

起動中のアプリが一覧表示されます。
タップするとアプリが終了します。
タップしたアプリに切り替わります。

iPhone(iOS)の基本画面①

通知センター

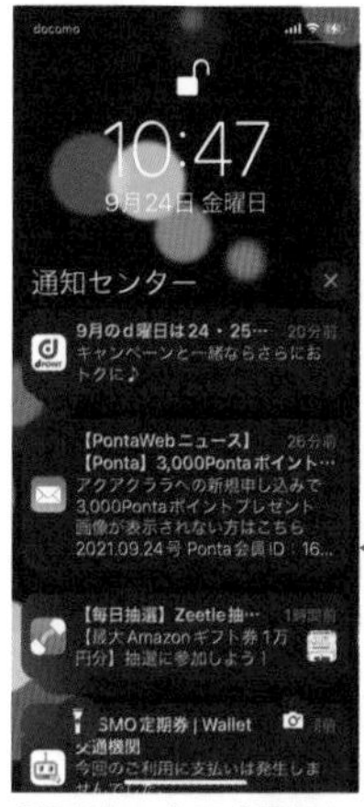

［設定］アプリの「通知」で有効にしている通知（メッセージやお知らせなど）が表示されます。

コントロールセンター

［設定］アプリを起動しなくても、マナーモード、無線LAN、ブルートゥースなどを設定できます。

ホーム画面

引き下げ

引き下げ

引き上げ

アプリ切り替え画面

起動中のアプリが画面に一覧表示されます。アプリの切り替えや終了ができます。

［設定］アプリ

スマホ本体やアプリの設定を行います。

iPhone(iOS)の基本画面②

通知センター

コントロールセンター

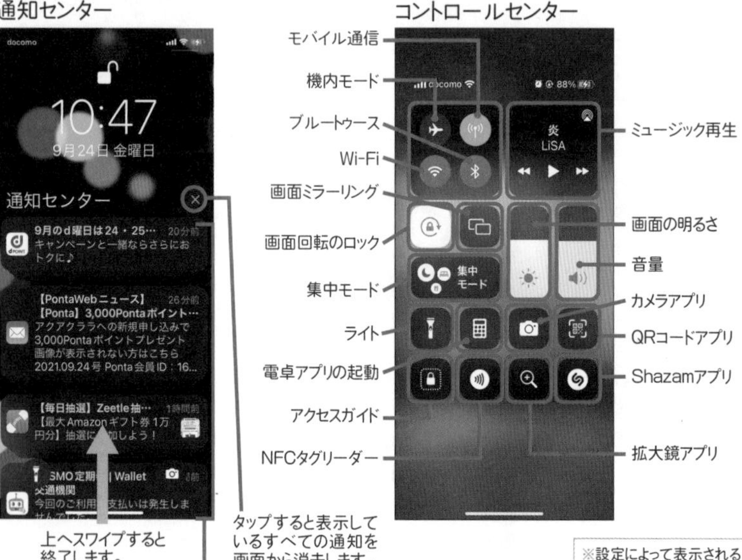

※設定によって表示される項目が異なります。

アプリ切り替え画面

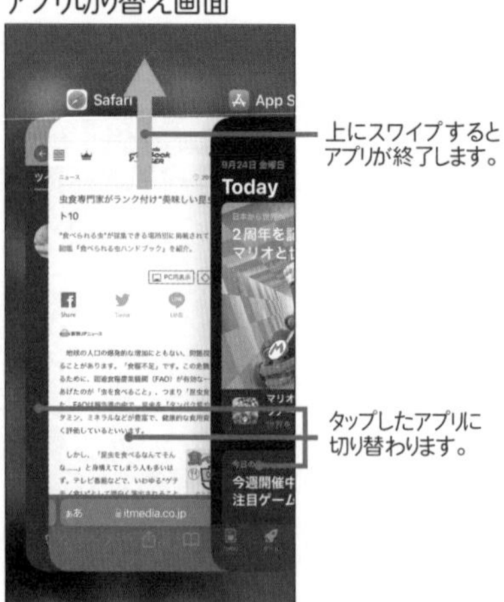

［設定］アプリ

Rules and manners for smartphones and the internet

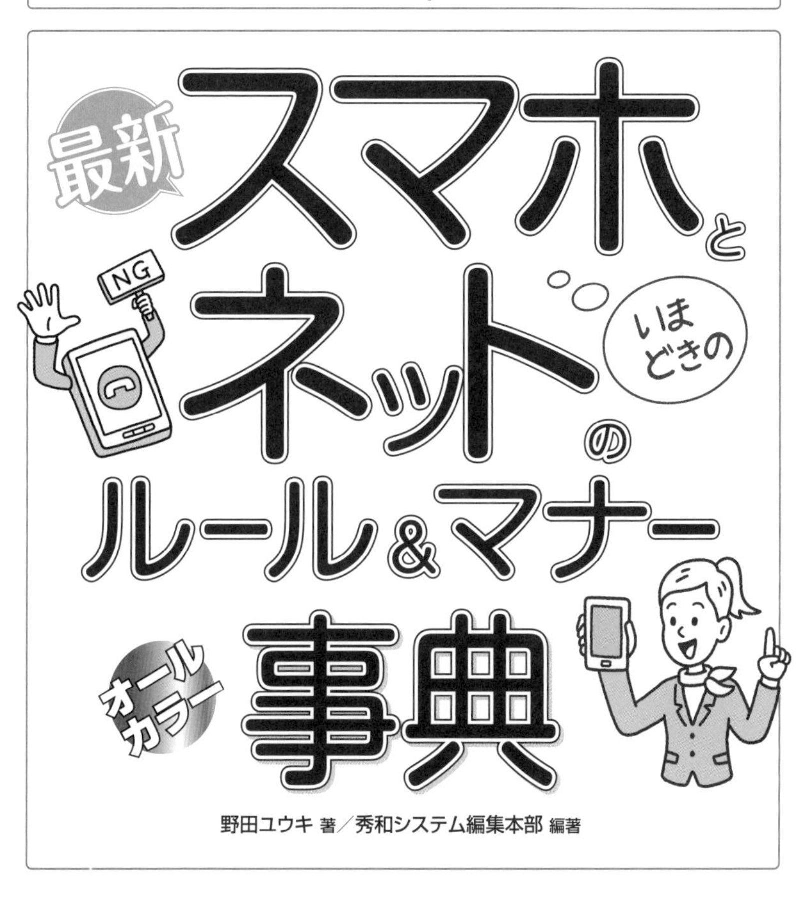

秀和システム

はじめに

どうして、スマホにマナーが必要なのか。

現代は、仕事だけでなく日常生活においてさえ、“デジタル利用のためのマナー”への関心が高まっています。その背景には、スマホやインターネットという新しい道具の使い方によっては、本人も周囲の人も（おもに）精神的なストレスを受ける機会が増えているからに違いありません。

本書は、一般のスマホ使用者がうっかりやってしまいそうな行動と、その対処法”を説明したものです。

スマホやインターネットに関するマナーやエチケットの範囲はまだまだ不明瞭です。本書では、すべてのページを読むといった使い方よりは、知りたいことに関連した項目を見ることを推奨します。

例えば、飲み会で友達と一緒に撮った写真をSNSに上げて、友達から文句をいわれたとしたら、なぜ友達の気に障ったのか、SNSでの写真の公開がなぜ問題なのか、を知る必要があります。この場合、「4.17　ネット掲載する写真を撮影するとき」「4.18　個人情報がわかる書き込みとは」「7.21　写真に写っている友人の肖像権」などの項目を見てみましょう。

デジタル社会がギスギスしていると感じるなら、周囲の人たちと円滑に付き合うためのデジタル時代のマナーやエチケットを、あなた自身が身に付ける必要があります。そのことが、あなた自身のストレスを減らすことにもつながるはずです。多くの人が共有する動作や作法にちょっと気を配ることが、結局は自分の心身の健康にもつながります。

本書は、スマホやネットに関連した内容を中心に編集されています。あなたやあなたの大切な人たちのデジタルライフのすべてにおいて、健やかに過ごせますように。

2023年12月

野田ユウキ

目次と構成

第4章　メールやSNSのトラブル対処法　123

第8章　スマホと健康の関係　251

第10章　賢く楽しく安全に、スマホライフ　295

操作目次

第1章

スマホを持ったら

スマホという電子機器は、携帯電話の機能とコンピューターの機能を併せ持っています。総務省（令和４年版情報通白書）によると、日本のモバイル端末（スマホやタブレット端末など）の世帯保有率は97％を超えています。

1.1

エチケットとマナーとルール

スマホのような新しい文化では、「作法」とか「行儀」というよりも、「エチケット」「マナー」といった方がふさわしいようです。

本書では、これらの語句を厳格に定義することはしませんが、以下、簡単に説明しましょう。

エチケットとは

日本語の「礼儀」に当たるとされる「エチケット」という語句には、“礼”を払う相手（対象）があります。このため、相手（対象）との関係において敬意や謙譲を伴う所作や言動、態度ということになります。したがって、対象や対象との関係性、時間や場所などによって、エチケットの内容が変わることがあります。

「混んでいる電車内で咳をするときには口に手やハンカチを当てましょう」というのは、エチケットについての指示です。仮に電車内に自分ひとりだけなら、大きな咳(せき)をしてもエチケット違反とは言われないでしょう。

また、「食事の場で、異性の体についての話はしない」というのもエチケットですが、食事を共にしている構成要員、食事の場所や時間帯によって、エチケットなのか（下品なのか）どうかの是非が分かれることになるでしょう。

マナーとは

日本語では「行儀」が最もしっくりくるでしょうか。辞書には「習慣」とも記されています。

マナーは家庭や学校で教えられるもので、社会生活においてごく一般的な、そして最低限守った方がよいとされる所作や言動、態度などの約束事です。

マナーには、エチケットのような相手（対象）との関係性は不要です。このため、私的な場でも公共の場でも、さらに自分ひとりだけでも、身についたマナーは遂行されるようになります。ただし、この約束事は、国や地域、文化や年代によって変わることがあります。

食事会で、大皿からいったんとった食べ物を元の皿に戻すのはマナー違反です。日本食でご飯を食べるとき、椀（わん）を手に持って食べるというのは日本食の作法でありマナーですが、洋食で出されたライスの皿は手に持って食べるのはマナー違反です。

スマホやITデバイスの使用をめぐるマイナス面を見ていくとき、マナーやエチケットのレベルで収まるとよいのですが、現代社会においてはこれらの使用によって犯罪や心身を害する事案が頻発しています。このため、スマホ使用にモラル（情報モラルなど）が必要だといわれ、組織内でルールを決めたりすることも多くなりました。心身や財産を損なうような差し迫った危険性が現実的な問題となることで、法律を変えたり、作ったりする動きもあります。

モラルとルール

エチケットやマナーが話題に上がるとき、同じような文脈で語られるのがモラルとルールです。

本人がその意味もわからないまま身につくのがマナー、そこに「他人との関係性を良く保ちたい」という感情が入った態度や行動がエチケットだとすると、モラルはさらに高度な精神作業です。

モラルは、自己の生き方や信条に照らして具象化した理想的な態度です。日本語では、道徳や倫理と訳されます。ただし、倫理は英語でも "ethics" という別の単語があります。

このため、モラルは非常に個人的な言動の指針となるはずですが、社会的に適正な教育を受け、精神的に豊かな生活を送ってきたなら、普遍的な良識を得られると考えられていて、様々な差異によらない基準を持つことが可能です。

「ルール」は、エチケットやマナー、モラル（道徳や倫理）に照らして、これらを一定の基準によって規定したものです。罰則やペナルティーを伴うことがあります。

ルールには、それを決めたり執行したりする組織やグループによって、段階（強制の強度）があります。"地域のごみ出し" ルール、"家庭の風呂順のルール" などは小さなグループのルールです。これらのルールを守らなくても、注意される程度で済みます。

少し強制の強度が大きくなると、“自転車は道路の左側を走ること”とか“社内恋愛禁止”といった段階になります。守らないと軽い過料をとられたり、ボーナスが減額されたりします。

さらに段階が進むと、組織として守ることが共通の理解とされているルール（きまり）となり、その最大のものが法律です。

1.2

スマホを持つのに“責任”は必要!?

ながらスマホ

スマホは単なる道具です。道具を所有するのに何らかの責任が必要なのでしょうか。

自動車を所有し、それを使うのには責任が伴います。自動車は人命に関わる事故を起こすからです。銃を所有するのも同様です。

ところで、スマホはどうでしょう。人命に関わるような重大な事故を起こすとは考えられません。本当にそうでしょうか。

2016年10月、横断歩道を渡っていた小学生が、スマホでゲームをしながら運転（ながらスマホ）していたトラックにはねられて命を落としました。その後、「ながらスマホ」に対して厳罰化が行われましたが、スマホが原因とされる交通事故件数は1年間で2000件を下らず、さらに依然として死亡事故も発生しています。

SNSいじめ

2020年11月、都下の小学校に通っていた女子児童が自殺しました。学校から貸与されていたタブレットで行っていたSNSに悪口を書かれたことが原因とされています。携帯情報端末（この場合はタブレットですがスマホも同類）を安易に子供に与えることについて、保護者や学校に責任がないとはいえないでしょう。いいえ、このような事案が頻発していることを考えると、「いつ、どのようにしてスマホなどの携帯情報端末を与えればよいのか」、また「与えるときにはどのようなことに注意すればよいのか」など、周囲の大人たちが果たさなければならない責任は確実にあります。

情報漏洩（ろうえい）の発端

企業では営業職だけではなく、様々な場面で情報端末を持ち歩きます。クライアントとの打ち合わせやプレゼンはもちろん、現場での管理にもスマホやタブレット、ノートPCが使われています。

2021年2月、大病院のノートPCが紛失し、患者約2000人の個人情報が流出しました。

携帯情報端末には多くの個人情報が保存されています。さらに、クラウドなどさらに多くの情報にアクセスするアカウント情報が保存されています。

このような企業や学校など組織に属している者が、携帯情報端末を置き忘れたり、盗まれたりする事案が後を絶ちません。

携帯情報端末を紛失していなくても、公共の場所での安易な使用によって、悪意ある集団からその後も重要な機密情報にアクセスする足がかりを与えてしまうこともあり得ます。例えば、会社のタブレットを戸外の喫茶店で使用したときに、公共Wi-Fiを使ったとします。この公共Wi-Fiは無料で誰でも簡単に利用できて便利ですが、通信内容は暗号化されません。通信内容を盗み見られていることを知らずに、会社で使っているIDやパスワードを送信したために、後日、会社のサーバーへの侵入を許して、機密情報を盗まれることにつながるかもしれません。

個人情報や企業の機密情報の漏洩が実際に起きたかどうかに関係なく、そのような危険性があったというだけで、組織全体の情報管理の姿勢が問われることになります。会社から貸与されているスマホやタブレットを所持し、適切なセキュリティ対策を施しておくことは、組織や顧客への大切な責任なのです。

1.3

歩きスマホは相手もあなたも危ない

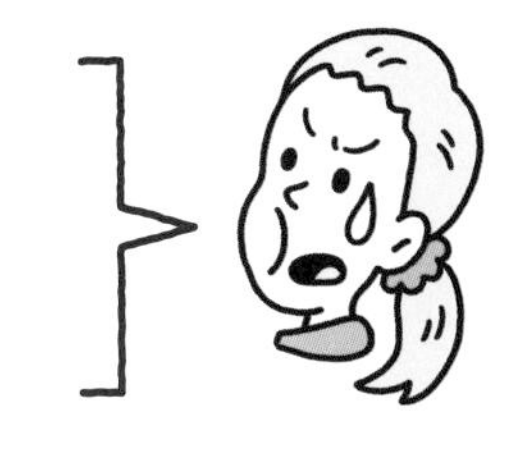

歩きスマホで被害者に

町で日常的に見られる歩きスマホ。10代女性の約7割が常習的に行っていて、調査した全体でも半数以上がやっているとの報告もあります（電気通信事業協会調査報告より）。この報告書によれば、ほとんどの人が「歩きスマホ」は危険だと感じています。そうです、「歩きスマホ」は、危ない、とても危ないのです。

歩きスマホによって、転んだり、ぶつかったり、落ちたりする事故が多発しています。

2021年7月、都内の私鉄の踏切で女性が列車にはねられて亡くなりました。女性は歩きスマホで警報機の鳴り始めた踏切内に侵入し、遮断機が下りてもスマホの画面を見続けたまま、遮断機の前で立っていました。ところが、そこは踏切の中だったのです。

さらに、歩きスマホを狙って、わざとぶつかり、けがをしたとか手に持っていたものが壊れたとか因縁をつける、"当たり屋"と思われる事件も発生しています。

歩きスマホ、自転車スマホで加害者に

スマホの画面を見ながら、あるいは操作しながらのいわゆる“ながら自転車”については、各地の公安委員会等によって規則が決められている場合があります。罰則は5万円以下の罰金となっています。

歩きスマホで人とぶつかって相手が転倒などしてけがをしたり亡くなった場合には、過失傷害罪、過失致死罪、重過失致死罪に問われる可能性があり、さらに多額の損害賠償が請求されるかもしれません。

自転車に乗りながらスマホを操作したり見たりしていた場合に人とぶつかった事故も発生しています。大学生（20歳）が片手でスマホを操作しながら自転車を運転していて歩行者にぶつかり歩行者を死なせた事案では、加害者の大学生に禁固2年（執行猶予4年）の実刑判決が言い渡されています。

歩きスマホや自転車スマホでは、未成年者であっても加害者になり得ます。実際に高校生が夜間、無灯火で自転車スマホ（当時はケータイ）をしていて歩行者に衝突した事案では、被害者に障害が残り、5000万円の賠償金が支払われています。

歩きスマホの罰則

2021年6月、神奈川県大和市で制定された条例を最初として、日本各地で「歩きスマホ」に対する条例が制定されています。また、歩きスマホに関する規定を交通安全条例等に追加している自治体もあります（徳島県、三重県など）。

なお、執筆時点（2023年12月）では、国内の「歩きスマホ」に対する罰則はありません。しかし、歩きスマホをしていて誰かにぶつかってけがをさせたりした場合は、過失傷害罪等で罰せられることもあります。

ながら自転車

ながら自転車は、自転車を運転しながら、スマートフォンや携帯電話の操作、傘の差し、イヤホンやヘッドホンの使用など、注意力を散漫にする行為をすることを指します。道路交通法や道路交通規則によって禁止されており、罰則の対象となることがあります。

市区町村で歩きスマホを規制する条例の例

・「大和市歩きスマホの防止に関する条例」

神奈川県大和市では、公共の場所での歩きスマホを禁止する条例を制定しました。違反者には罰金などの罰則はありませんが、市の職員が注意や啓もうを行います。

・「荒川区ながらスマホ防止条例」

東京都荒川区では、歩きスマホを禁止する条例を制定しました。歩行者は、スマホの画面を見ながら歩くことができません。違反者には罰金などの罰則はありませんが、区長の判断で注意を受けることがあります。

・「京都府交通安全基本条例」

京都府は、歩きスマホを規制する条例を制定しました。歩行者は、歩きスマホなどの危険な行為を避けて、道路交通に注意しなければなりません。違反者には罰金などの罰則はありませんが、府は、広報や啓発を行っています。

スマホが禁止される場面

・運転中のスマホ使用

運転中のスマホ使用は法律で禁止され、罰則が科されたり事故発生時の責任が重くなったりします。

・歩きスマホ

公共の場所で禁止される場合があり、事故発生時の責任も重くなります。勤務時間中は、会社の規則によって懲罰の対象になることがあります。

・電車等の車内でのスマホ使用

通話や音声、画面の内容によっては、周囲に迷惑を及ぼす可能性があります。ペースメーカーにも影響を与えるとされています。

1.4

電話使用が違反となるTPO

周囲に迷惑がかかる場合や、使うことで不当に利益・不利益が出てくる場合

電話をかけたり、かかってきた電話に出たりするのが“ダメ”なTPO——Time（時間）、Place（場所）、Occasion（場合）——をまとめてみます。

これらの“ダメ”にもレベルがあります。絶対に“ダメ”なTPOの判断の1つは、法律で禁止されている場合です。

自動車の運転時に、手に持ってスマホを使用した場合には交通違反になります。罰則は6カ月以下の懲役または10万円以下の罰金です（傷病者の救護または公共の安全維持などのやむを得ない場合は対象外）。なお、電車の運転士が電車の運転時にスマホを操作していた場合は、社内規程に違反するようです。

もちろん、上記のTPOでは電話に限らず、ゲームをしたりメールやSNSなどをチェックしたりするのも“ダメ”です。

運転手以外では、医療用精密電子機器の近くでの使用は禁止です。命に関わる場合もあるため、使用禁止のみならず、電源をオフにするなどして使用できないようにするべしなどの注意書き等があります。

通常、スマホの使用を禁止するコンサートホールや美術館の中には、携帯用の電波の抑止装置を導入しているところも増えています。同装置が稼働しているエリアでは、スマホは圏外となり、発着信ができなくなります（ただし、アラーム音などは各自でオフにする等の操作が必要です）。データセンターや銀行ATM設置場所にも同装置が入っている場合があります。このような場所では、スマホをマナーモードや電源オフにする必要もありません。

これらのほかにも特別な状況下で、スマホの使用が禁止されることがあります。例えば、学校や資格などの試験会場で決められた時間帯は禁止（電源オフ、持ち込み禁止）です。また、ジェットコースターなどの乗り物に乗るときにスマホを預けなければならないこともあります。プールや浴場、更衣室などで操作していると不審に思われます。

スマホが禁止されるTPOが示された場合、それに従わないと退去させられたり、罰則が適用されたりすることもあります。

1.5

スマホを取り巻く無断拝借あれこれ

電源の無断拝借

2004年、JRの駅のコンセントに、バッテリーの切れたノートPCを接続して電源を無断借用した人が、窃盗の疑いで事情聴取されました。電気代にすると1円程度ということですが、窃盗は窃盗というわけです。

スマホを使っていると、電気や電波など、目に見えないものを使っているため、何かを消費しているという実感がわきにくいのかもしれません。電気も、ガソリンや都市ガスと同じ、エネルギーとしてとらえることが必要なのでしょう。

情報の窃盗

電気と同じように、いわゆる「情報」も見えません。どれだけ写真や音楽をスマホに保存しようと、スマホが重くなるわけではないので情報量を感ずるには困難さが伴います。

電気を無断で拝借するのと同じように、もちろん、情報を無断でいただけば窃盗です。先の話で駅のコンセントから電気を無断借用したときの賠償金を請求しても、電気代1円相当ということになるでしょう。しかし、盗んだ情報の代金の返済はどのように考えればよいのでしょう。

情報が盗まれた場合、その情報の量（ファイルサイズ）には、ほとんど意味がありません。それよりも情報の“質”または“価値”が問題だからです。まったく価値のない情報もあれば、数億円でも安い情報もあります。個人レベルでも、資産に関する情報（銀行の口座番号、パスワードなど）や、個人が特定でき、それによって不利益が生じる恐れのある情報（個人情報）は、厳重に守られていなければなりません。

ところで、インターネットを利用した場合、情報はバケツリレー方式で送られます。このとき、情報は盗み見される危険性があります。これは、インターネットの性質上、ある程度仕方のないことです。スマホの場合は、情報が無線の電波に乗ってやり取りされるため、通信の信号は簡単に傍受できてしまいます。

インターネットも無線通信も、通信の信号を盗まれても「見られたって内容がわからなければよいでしょ」という技術なのです。

創作物の無断使用

創作物には創作した時点で著作権が生じて、著作物になります。著作物は、著作者に無断で複製したり、編集したりできません。これらがいわゆる著作権です。

簡単に持ち歩くことができ、カメラや動画を撮影できるスマホを使用するときには、他人の著作権を意識しなければなりません。

街頭に飾られている美術作品をスマホのカメラで撮ってSNSに載せることには問題はありません。彫刻や彫像、壁画などの美術作品にはもちろん著作権がありますが、それらが公共の場にあれば写真撮影されるのは当たり前で、作者からすれば望むところということでしょう。さらには、美術作品を撮影した撮影者に写真の著作権が生じることになります。このように、スマホで写真や動画、音声などを撮影・録画・録音することは、安易に著作物の増大を招きましたが、そのこと自体に問題点はありません。

問題なのは、撮影してはいけない場所で、禁止されているものを撮影（複製）し、無断で公表するという行為です。明らかな著作権侵害です。

スマホのカメラで撮影してはいけない場面

・運転中の撮影

運転中のスマホの使用は法律で禁止され、罰則が科されたり事故発生時の責任が重くなったりします。

・盗撮

他人のプライバシーや肖像権を侵害する撮影は、法律で禁止され、罰金・懲役などの罰則や賠償責任があります。

・書籍や雑誌の撮影

書籍や雑誌の写真、文章、イラスト、記事などをスマホのカメラで撮影することは、著作権法で禁止された著作物の複製にあたり、罰金・懲役などの罰則や賠償責任があります。

1.6

ネットでの誹謗中傷の加害者と被害者

スマホを使うのは暇人！？

スマホを手放せない一般の人たち、いったいスマホで何をしているのでしょう。

ずっと仕事（しなければいけない作業とします）をしているわけではないでしょうし……。天気予報、ニュースサイトのチェックといった情報検索やネットショッピングなどの日常の時間を差し引いたとしても、そんなに長い時間、スマホを見続けているのはどうしてでしょう。そのような人たちの行動は“暇つぶし”だろうという想像は成り立ちます。

通勤時間などに、電車内でスマホを使っている人の画面を覗く（のぞ）と、ゲームをしたり、動画や漫画を見たりしている人が多いことに気づくでしょう。

スマホの使用時間を国別で見ると（DataReportal）、日本人は1時間39分/日となっています。韓国の人は2時間46分/日、中国の人は3時間6分/日などとなっています。世界一、スマホを使っているのはフィリピンで5時間47分/日となっています。

これを見ると、忙しい日本人は、自由になるちょっとした時間を急いでスマホを使っているだけなのかも知れません。

ネットで誹謗中傷する人

ネット炎上（炎上）あるいはフレーミングは、特に集中的に攻撃される人の心身に大きなストレスを与えます。ネット炎上では、不特定多数の人が入れ代わり立ち代わり誹謗中傷によって攻撃してくるため、加熱はなかなか収まらないことが多く、心身に不調をきたす人もいます。

ネット炎上に関わっている人は、先のようにスマホを“暇つぶし”に使っているのではないか、という予想もなりたちます。しかし、先のような“暇つぶし”にスマホを使うのは、ごく一般的な使用法です。ネット炎上に参加している人の人物像とはどのようなものでしょうか。『ネット炎上の研究』（田中辰雄・山口真一、2016、勁草書房）によると、炎上加害者のプロフィールは、おおよそ次のようにまとめられています。

「年収が高く、ソーシャルメディアを利用し、ネットで嫌な思いをした経験があり、若い子供のある男性で、非難し合ってもよいと思っている人」

もちろん、これらに合致しない人も大勢います。

ネットで誹謗中傷される側

炎上を招くような人や組織には、どのような特徴があるのでしょう。バイトテロやバカッターなどは、その行為や言動から、未熟な社会性が引き起こしていると考察できます。また、炎上系YouTuberなどによる確信犯的な炎上も含めて、行きすぎた自己承認欲求または自己顕示欲を持つ人たちであることも推測されます。

そして、ネット炎上を傍観している人たちについては、社会常識の欠如が指摘されます。ただし、これは誹謗中傷している側にも向けられます。

子供のいじめにおけるスマホの役割

ネット誹謗中傷の原因に挙がる「未熟な社会性」「高い自己承認欲求・自己顕示欲」は、子供たちにとっては、発達段階がまさにその最中であること、学校という限られた生活社会であること、などに鑑みて、リアルの社会に限らずネットにも存在することが予想されます。子供たちの世界（学校）では、「誹謗中傷」=「いじめ」といってよく、文科省の「2021年度（令和3年度）児童生徒の問題行動・不登校等生徒指導上の諸課題に関する調査」では、ネットいじめの認知件数が2万件を超え、過去最多を更新しました。ネットいじめの件数は、年齢が上がるに従って増えることから、スマホ利用との相関関係が想起されます。

炎上による被害者

ネット誹謗中傷、またはネット炎上によって被害が出ています。

個人の場合は自殺、店舗の場合は閉店、会社では倒産、そこまで行かなくても以前の平穏さが失われたり、目に見える損失があったりします。

いくつかの統計によると、炎上に加担しているのは全体の1%程度、つまり非常に少ない人たちが入れ代わり立ち代わり、そして繰り返し誹謗中傷を行っています。

店舗や企業に対する炎上では、1%程度の苛烈なクレームであれば無視してもよさそうなものですが、ネットで騒ぎが拡散することで、炎上を単に傍観していた「普通の人たち」が、炎上に対する嫌悪感から遠ざかるという現象が見られます。炎上による被害としては、一般の顧客の足が遠のくことになり、一時期、評判が悪くなることよりも重大な問題です。これによって、店舗や企業の売り上げが落ちることになります。

誹謗中傷への罰則

ネットでの誹謗中傷による様々な損害に対しては、賠償請求が求められるようになってきました。

ネットの匿名性から、誹謗中傷する側には「容易に見つからないだろう」という意識があるようです。

ところが、技術的には「いつ、誰が、どこから、何を書き込んだか」は、詳細に記録されています。インターネットを利用するときには、接続する機器ごとにIPアドレスが割り当てられます。この記録（ログ）はプロバイダが保存しています。ログには個人情報が含まれていますが、開示請求に該当する理由が正当と判断されると、プロバイダは接続情報（ログの一部）を開示できます。バイトテロやバカッター、炎上系YouTuberなどを特定するのは、もっと簡単です。

相手が特定されれば、弁護士と話し合って相手に訴訟を起こすことができるかもしれません。誹謗中傷に関しては、名誉毀損罪、侮辱罪、信用毀損及び業務妨害罪、脅迫罪などです。刑事罰のほか、慰謝料請求（民事請求）を起こすことも可能です。

▼ネット誹謗中傷に関する罰則

罪名	刑事罰
名誉毀損罪	3年以下の懲役または50万円以下の罰金
侮辱罪	拘留または1,000円以上1万円以下の罰金
脅迫罪	2年以下の懲役または30万円以下の罰金
信用毀損及び業務妨害罪	3年以下の懲役または50万円以下の罰金

便利技 トーンポリシング

トーンポリシングとは、おもに社会的な対立論点に対して、論点には関係のない発言者の心身の特徴や発言方法などを持ち出して、発言者の議論の妥当性をおとしめようとする、"すり替え"の一種です。

2016年にブログに書き込まれた、「保育園落ちた日本死ね!!!」というタイトルの記事は、当時の待機児童問題を強烈に批判する内容でした。この投稿への当日の「記事への反応」にある、「困っているのはわかるが、気に入らないと『死ね』と言うヤツに同情する気が失せる」というのが、典型的なトーンポリシングです。

反応した人は、発言者の「死ね」という感情的ととれる語句と、発言の内容と発言者の属性に鑑みて、トーンポリシングを試み、内容には一切触れずに、すり替えを行おうとしたのです。

このように、トーンポリシングが発生すると、議論の内容が深まらず、結果として議論が敬遠されることもあります。ネットでは感情的なつぶやきも論理的な意見も同等に載るので、トーンポリシングの責任は大きいといえます。

上記例の場合、幼子を抱えたひとりの女性と日本国という図式なので、女性が日本に対して過激に怒ってもハラスメントにはなりません。これが逆ならば明らかに恐喝(超ハラスメント)です。トーンポリシングによって、社会的に弱い立場にある人々が発言しにくくなるという負の面も現れています。

1.7

スマホの使い方が見られている

持っているスマホとスマホを持つ人の品格

スマホは、ほとんどの人が日常、ごく普通に使う道具になりました。スマホで帰宅の電話をかけ、電車に乗ったらスマホで今日のおすすめ料理を検索し、近所のスーパーで食品を選んでスマホでネット払いをして帰宅する。そのころには、スマホでスイッチオンを予約しておいたスマート家電が動いていて、部屋が快適な環境になっている、といった具合です。

ほとんどの人が持つからこそ、自分だけのスマホにしたいと思うのも道具に対する想いです。機種や色、背景画像や着信音、スマホと連動するガジェット類など、選び方や使い方に性格が表れます。まるで、マイカーのようです。

どのような自動車に乗るか、どのような運転をするか、その人の性格、そして品格が表れるのが自動車だといわれています。スマホも、そのような“道具”になりつつあります。

スマホを使うシチュエーション

どのような場合にスマホを使いますか。

携帯通信端末というように、どこででも使えます。いつでも使えます。暇なときに寝転んで、歩きながら（走りながらでも）、トイレや風呂でも、仕事場で仕事以外のことをしたり、通勤途中に仕事をしたり、寝ている間も……。アプリを入れ、デジタルガジェットを追加することで、スマホの機能は拡張されます。

このような、誰もが持っていて携帯する万能（？）な道具だからこそ、スマホを使う人にはシチュエーションに合わせたマナーやエチケットが周囲から求められます。

用途に合わせた服を着て、自動車で仕事や遊びに出かけるように、スマホもシチュエーションに合わせてデザインと機能を変えます。このため、スマホのマナーやエチケットも変える必要があるかもしれません。どのような使い方をするとしても、モラルやルール（法律）は守るのは当たり前です。

便利技 寝ているときは通知なし、でも緊急電話は鳴らしたい

自宅でゆっくりしたいときや、これから就寝するといったときは、メールやSNS、電話などの着信音を聞きたくないでしょう。そんなときは「おやすみ時間モード」(Android)、「おやすみモード」(iPhone)を使いましょう。

Androidでは、❶「設定」アプリをタップして、「Digital Wellbeingと保護者による使用制限」をタップ➡❷「おやすみ時間モード」をタップして「スケジュールを設定」をタップ➡❸開始時間と終了時間を設定したあと、「おやすみ時間モードがオンのとき」にある「サイレントモード」をオン(右にスライド)にすると設定完了です。

iPhoneでは、❶「設定」アプリをタップして「おやすみモード」をタップ➡❷「おやすみモード」をオン➡❸「時間指定」をタップ➡❹おやすみ時間の指定(開始と終了)を行います。何度か着信があるものは大事な要件の場合があるので、「繰り返しの着信」をタップしましょう(3分以内に2回目の着信があるときは通知される)。

Android

iPhone

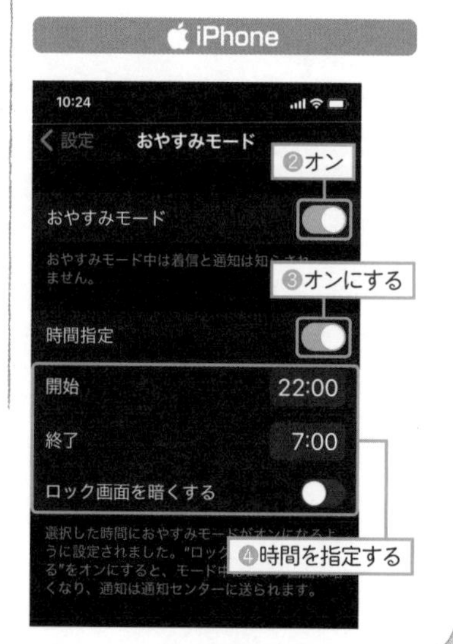

第2章

スマホを持ったら〝マナー〟

みんなが使うものだから、スマホのマナーやエチケットはすでに一般化しています。だから、知らないと困ることもありますよ。

2.1

通話中も相手の状況を気遣う

相手がスマホなら手短に

スマホの相手に電話をしている状況では、相手は移動するかもしれません。戸外なら天気が急変したり、相手の体調が悪くなったりすることも考えられます。

そのような状況の変化を相手が話してくれて、通話を継続するか、中止するか、再開するかどうかなどを打ち合わせられればそれでOKでしょう。しかし、相手がそのような状況変化を隠して、通話を続けようとしていることもあります。相手の状況の変化に気づけるかどうかはわかりませんが、もし気づいたら、気遣いを伝えるようにしましょう。急用でないなら、後でかけ直せば済みます。

スマホ電話のマナー

- 周囲の環境や電波状況によっては、電話を控えたり、かけ直す
- 電話をかける時間帯を選び、緊急でない限り早朝や深夜、休日は避ける
- 運転中や歩行中の通話は、事故や法律違反のリスクがあるのでやめる

2.2

スマホ電話に適した場所とは

電波で通話できることを考慮する

スマホから電話をかける場合には、こちらでかける場所を選べます。にもかかわらず、相手が通話を聞き取りにくかったり、電波が途切れたりするようでは、エチケットやマナーはもとより、ITに関する能力も疑われかねません。

通話を完了するに十分なバッテリー残量があるか、電波の強度は安定しているか、移動中ならトンネルや山などによってこの先も通話が保証されるかのチェックが必要です。

さらに、社会的な制限を受けないかどうかもチェックします。例えば、通話を禁止している場所でないこと、周囲が騒がしい場所でないことを確認しましょう。

スマホ電話に適した場所

- 静かな場所：騒々しいと先方や自分自身が相手の声を聞き取れない
- 良好な通信状況の場所：電波受信状況が良好な場所を選ぶ
- プライバシーが守られる場所：個人情報やプライバシーを守るため、他人がいない場所を選ぶ
- 安全な場所：安全運転や安全な歩行を守るため、運転中や交通の危険な場所では操作しない

2.3

留守電への録音メッセージのマナー

手短に要件をはっきりと

スマホに電話をかけたとき、相手が出られないことがあります。スマホを携帯しているはずですが、実際にはすぐに出られなかったり、スマホから離れていたりすることもあります。出るか出ないかは相手の状況次第です。したがって、呼び出しが数秒続いたときには留守電に残すメッセージが言えるように、頭の中でまとめておくとよいでしょう。

留守番電話メッセージに残す最低限の内容は、次のようなものが一般的です。

留守電への最低限のメッセージ

①自分の会社名、部署名、名前
②連絡したい概要、または電話した理由
③再度、こちらから連絡するのか、それとも、メッセージを聴いたら連絡してほしいのか

2.4

スマホに電話、でも電車内、どうする？

電車内は、スマホをマナーモードにするのがマナーです。スマホが振動して、電話がかかってきているのを知らせています。さあ、どうしましょう。

スマホによっては、「現在、出られませんので、かけ直します」等のメッセージを送信するボタンが表示されるアプリもあります。

こちら側で何かのアクションをしない限り、相手には呼び出し音が鳴り続けます。固定電話にビジネス用件でかけた場合には、呼び出し音3回までに出るのがビジネスマナーだといわれます。スマホでは、この縛りが難しいことはわかっていますが、だからといって「さんざん呼び出し音で待たせておいてから留守電に移行するというのはエチケットに問題ありと思われます。

例えば、次のように電話アプリおよび留守電の機能を設定しておくのもよいでしょう。

電話アプリの設定例

①設定した回数（または秒数）、呼び出しても出ない場合、「おかけになった電話をお呼びしましたが、お出になりません」等の自動メッセージを流す。

②コール8回程度で留守電に移行する。

留守電に移行したときに、電話できるようになっていても、相手が留守電にメッセージを残している間は電話できません。少し時間を空けてから、留守電メッセージを聴いて対応しましょう。

③相手によっては、できるだけ早く電車を降りて、安全で静かな場所からかけ直す。

その際、「先ほどは電車内でしたので、失礼いたしました」など出られなかった理由を簡単に説明しておくとよいでしょう。

電話に出られない旨をショートメッセージする

例えば、電車に乗っているときやレストランで食事をしている最中に電話がかかってきたとします。マナーとしてすぐに通話することはできなくても、スマホは操作できることがあります。

このような状況でスマホの機種によっては、あらかじめ登録されているショートメッセージ（「後ほどこちらからかけ直します。」「いま、忙しいのでメッセージをください。」など）を送信することで、素早く相手に自分の現状を知らせ、それに自分がどのように対応する予定か、どうしてほしいかなどを知らせることができます。

なお、相手が固定電話などショートメッセージを受信できない場合には、この機能は役に立ちません。

裏技 フラッシュさせて受信を通知する（サイレントモード）

スマホの機種によっては、マナーモードと似た機能が別に設定できるものがあります。この機能は、サイレントモード、高度なマナーモードなどと呼ばれています（本書では「サイレントモード」に統一しています）。

サイレントモードでは、着信や通知、アラームなどの起動時の音が「鳴る／鳴らない」の設定に加えて、「フラッシュを点滅させる」設定ができる場合があります。この機能が使える機種では、音やバイブを使わず画面表示で知らせるように設定されていても、フラッシュの点滅で知らせることができます。なお、このような機能がない機種でも、アプリをインストールすることで利用することができます。

Androidでは、❶（Samsungのスマートフォンの場合）設定アプリを起動して「アクセシビリティ」をタップ➡❷「聴覚サポート」の「フラッシュ通知」をオンにします。

iPhoneでは、❶「設定」アプリを起動して「アクセシビリティ」をタップ➡❷「オーディオ／ビジュアル」をタップ➡❸「LEDフラッシュ通知」をタップしてオン（緑色）にします。

Android／iPhone共通

2.5

電車・バス内の音マナー

「車内は静かに」が基本マナー

公共交通機関の電車やバスでスマホを利用するときには、これらを様々な人々が利用していること、乗り物内は密閉された比較的狭い移動空間であることなどを認識して、それらの人々に対して配慮するようにしましょう。

スマホの利用が一般化する前から、車内のマナーには「車内では静かに」というものがあります。これは、かつて車内で、大声で話したり、騒いだり、音楽などを再生したりすることへの不快感からできたものです。携帯電話機の利用が一般化すると、車内では通話も控えるようにという項目が追加されました。さらに、スマホになると、電話機能以外でも音を外に出すことか嫌がられるようになり、マナーモードの利用が一般化しました。

車内のように隣に他人がいることでストレスを感じるような空間では、人との物理的な距離が問題になります。しかし、スマホの通話による発話は、距離に関係なく気に障ることがあります。

車内では、スマホや携帯電話での通話は禁止です。これらの着信音が周囲に聞こえるのも迷惑です。マナーモードを使いましょう。

2.6

埋め込み型医療機器との距離

生命維持のために精密機器を装着している人がいることを知る

体への埋め込み型のペースメーカーや除細動器は、非常に精密な電子機器です。これらの電子機器は、携帯電話から発せられる電波によって誤作動を起こすことがあります。このため、電車の優先席付近ではスマホの電源を切ることを求められる場合があります。

総務省が出している「各種電波利用機器の電波が植込み型医療機器等へ及ぼす影響を防止するための指針」によれば、植え込み型医療機器とスマホとの距離は15cm以上離すように求められています。満員電車など15cm離すことが難しいような場合には、スマホの電源をオフにするか、機内モードにしましょう。

なお、これらの指針は第4世代スマホの使用電波で行った実験がもとになっています。さらに、実験は最大の電波出力、最高の受信感度を想定しています。5Gでは、これまでのような深刻な影響はないという実験結果もあります。ただし、すべての機種を実験したものではないため、その配慮も必要です。

埋め込み型医療機器ではありませんが、医療施設内には同じような機器がいっぱいあります。医療施設内でのスマホの使用時には、医療施設内の注意書きやサインを確認するようにしましょう。

2.7

満員電車での痴漢対策

警察が作った痴漢撃退アプリを入れておく

混雑している電車やバスの車内でスマホの画面を操作している人を見ることはほとんどありません。それがマナー違反であることはもちろんですが、物理的にも操作しづらいためでしょう。もし、満員電車の車内でスマホを操作している人がいたら、特別な理由があると気づく人が多いのではないでしょうか。怪しい動作でスマホを操作するのは、盗撮などを行っている痴漢の可能性があります。

もう1つの可能性は、痴漢されている側による痴漢撃退アプリの操作です。痴漢されると恐怖で声も出せない場合が多いため、スマホに代役をさせることができるアプリがあります。警視庁や各地の警察が作成したアプリは、画面に「ちかんです　助けてください」と表示したり、「やめてください　警察に通報します」と叫んだりします。

マップ機能
地図上をタップすると詳細な犯罪発生情報を表示
トップ画面
犯罪発生情報や防犯情報を地図でお知らせ
マイ地点登録
ワンタップで登録した地点が中心の地図に
デジポリス
台東区
現在地
学校
自宅
痴漢撃退機能
声を出さなくても周囲に助けを求めることができます
痴漢です
助けてください
ちかんされていますか？
防犯ブザー
画面をタップするとブザー音が鳴ります
防犯ブザー作動中
最新のメールけいしちょう
丸の内警察署（公然わいせつ）
2023年3月6日（月）、午後11時40分ころ、千代田区日比谷公園の公園内で、男が、下半身…
最新のアポ電情報
※画面はイメージです
警視庁防犯アプリ - デジポリス -
Digi Police
無料
※別途通信料がかかります。
メディアで多数紹介されました
ダウンロード
65万突破！
※令和5年3月現在
ダウンロード iOS版
ダウンロード Android版
警視庁生活安全総務課

▲警視庁防犯アプリ「Digi Police（デジポリス）」告知用のチラシ

2.8

「ここではスマホの電源を切って」の理由

スマホの使用は精密機器に影響するのか

医療施設では、スマホの使用が重大事故につながることがあります。医療施設で使われている精密医療機器や植え込み型医療機器が、スマホから発せられる電波によって誤動作を起こす危険性があるからです。

ただし、総務省による「電波の医療機器への影響等に関する調査（令和３年度）」では、第５世代のスマホ（5G）は医療機器に深刻な影響を与えない、と記述されています。

「スマホの使用によって影響を受ける電子医療機器」と「スマホが使用する通信システム」との関係によって起こるとされる誤動作なので、医療機器側の対策も重要になります。ペースメーカー等の植え込み医療機器の買い替えサイクルは数年以下と短く、最近のものは外部からの強い電波への対策がとられています。医療施設側でも、医療設備内をスマホの使えるエリアと使えないエリアに区切って、スマホの使用／不使用を明示しているところが多くなっています。

医療施設では、患者や関係者のプライベートを守る意味からも、スマホの適切な使用について規定しているというのが現状です。どちらにしても、医療施設でスマホを使用する場合は、公の場ということを踏まえ、適切な使用法が求められることに変わりはありません。

▼参考事例：エリアごとの携帯電話端末使用ルール設定

場所	通話等	メール・Web等	エリアごとの留意事項
①食堂・待合室・廊下・エレベーターホール等	○	○	・医用電気機器からは設定された離隔距離以上離すこと ・使用が制限されるエリアに隣接する場合は、必要に応じ、使用が制限される ・歩きながらの使用は危険であり、控えること
②病室等	△※1	○	・医用電気機器からは設定された離隔距離以上離すこと ・多人数病室では、通話等を制限するなどのマナーの観点からの配慮が必要
③診察室	×	△※2	・電源を切る必要はない（ただし、医用電気機器からは設定された離隔距離以上離すこと） ・診察の妨げ、他の患者の迷惑にならないよう、使用を控えるなどの配慮が必要
④手術室、集中治療室（ICU等）、検査室、治療室等	×	×	・使用しないだけでなく、電源を切る（または電波を発射しないモードとする）こと
⑤携帯電話使用コーナー等	○	○	

※1：マナーの観点から配慮すべき事項は、一律に決められるべきものではないため、上記はあくまでも参考事例として、具体的には各医療機関で判断されることが重要である。
※2：電源を切る必要はない。

携帯電話
使用可能
この場所では携帯電話の使用が可能です。他の方のご迷惑にならないようにご使用ください。
●●病院

携帯電話
使用禁止
この場所では携帯電話の使用は禁止です。電源を切るか、持ち込まないようお願いします。
●●病院

2.9

飛行機内は「機内モード」

安全な飛行のために機内モード

飛行機内では、離陸の準備から着陸までの間、基本的には電話やデータ通信、さらにWi-FiやBluetoothなどの無線通信が禁止されています。このため、スマホを機内に持ち込んだ場合は、離陸の準備時にキャビンアテンダントから、スマホの電源を切るか機内モードにするよう指示があります。これは、スマホなどから出る電波が飛行機の電子機器に影響することで、離陸や着陸の妨げとならないようにするためです。

機内モードにすると、電話、データ通信、Wi-Fi、Bluetoothの機能がまとめてオフになります。この状態のスマホでも、機種内に保存されている動画やゲームなどのアプリは使うことができます（オフラインで使用できる機能のみ）。

ただし、Wi-Fiに関しては現在、JALやANAなど大手航空会社の対応機において、使用できる場合もあります（有料の場合あり）。航空会社のホームページなどで確認するようにしてください。

なお、旅客機の搭乗者が機長の指示に従わず、スマホなどの通信機能をオフにしなかった場合には、航空法施行規則第164条によって安全阻害行為となり、50万円以下の罰金が科せられることもあります。

便利技 飛行機に乗るときは電源を切った方がいいの？（機内モード）

機内モードにすれば、電源を切らなくても大丈夫です。通話やデータ通信、Wi-Fi、ブルートゥース（Bluetooth）の接続を無効にすることができます。

Androidでは、❶画面の上から下に向けてスワイプをするとクイック設定パネルが表示されるので➡❷機内モードのアイコンをタップしてオンにしましょう。

iPhoneでは、❶ホーム画面の右上隅から下方向へスワイプをしてコントロールセンターを表示させ➡❷機内モードのアイコンをタップしてオンに（オレンジ色になる）しましょう。

飛行機を降りたら、機内モードを解除しましょう。

Android

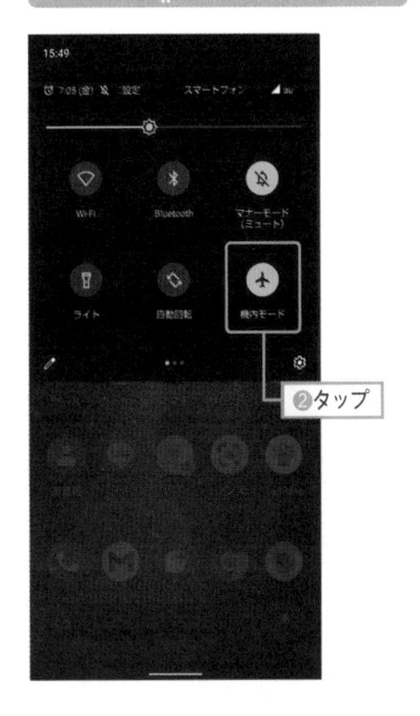

iPhone

2.10

映画館でのスマホのマナー

映画の鑑賞は「マナーモード」または電源オフで

映画館で映画を観るときには、マナーモードに設定することが推奨されます。マナーモードとは、着信音などを鳴らさないようにするモードです。マナーモードの設定手順は機種によって異なりますが、比較的容易に設定できる機種が多いようです。

マナーモードを詳細に設定できる機種では、音（通知音、着信音、アラーム音など）とバイブレーションのいずれか、または両方をオフにできます。選択された送信者からの通知だけを知らせるサイレントモード等（iPhoneでは「集中モード」）のある機種もあります。

映画の視聴中に突然の音を鳴らさないというマナーも大切ですが、暗い場内ではスマホ画面からの光も気になります。上映中はスマホをバッグなどに入れましょう。スマホを操作しなければならないときは、画面の光が周囲の邪魔にならないよう、画面を覆うようにしたり、身をかがめて操作したりするなど、配慮しましょう。

裏技 電話の着信音を瞬時に消す(マナーモード) iPhone Android

マナーモードにすることを忘れて、会議や電車に乗っているときに電話がかかってしまい、着信音が鳴り響くことがあります。

iPhoneでは、本体の「+」あるいは「−」の音量ボタンを押したり、「電源ボタン」を押すと着信音が消え、同時にバイブレーションもオフになります。

Androidの場合は、サウンド/バイブレーション設定にアクセスします。画面を下から上にスワイプ(通知パネルを表示)⇒サウンドアイコンをタップ、あるいは設定アプリを開き、「サウンド」または「音」セクションを開きます。次にマナーモードを選択します。通知パネルでサウンドモードとしてサイレントもしくはバイブレーションを選択します。

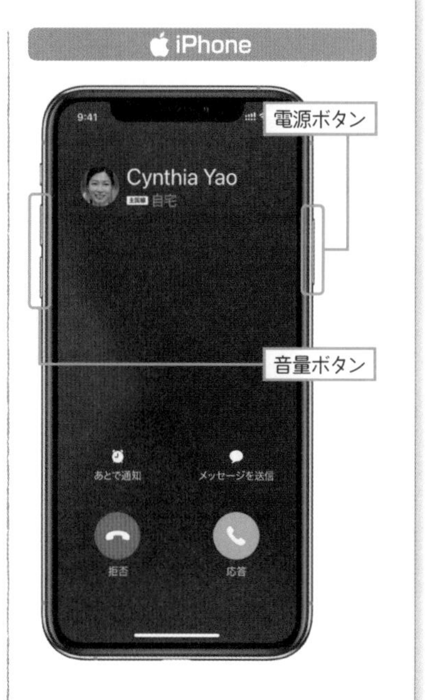

2.11

マナーモードのタイミング

オンとオフの時間は決められる

スマホは、電話がかかってきたときには電話の着信音を鳴らしたり、メール、メッセージなど、選択したアプリに何か情報（送信先を指定することも可）が入ると、その都度、音声で通知してくれたりします。マナーモードは、これらの通知を振動に切り替えたり、音も振動もなくしたりするのを簡単に設定できる便利な機能です。まさに、マナーとして音や振動をなくしたいときに設定します。

一般のスマホでは、簡単な操作でマナーモードのオン/オフを切り替えられますが、例えばエレベーターに乗る都度、マナーモードをオンにして、降りたらオフにするなど、頻繁に切り替えるのはやはり面倒です。

そこで、会社で定時に働くビジネスマンなら、マナーモードのオンとオフのスケジュールを決めておくとよいでしょう。例えば、家を出るときに、スマホを持ったかどうかを確認するときにマナーモードをオンにしましょう。電車やバスに乗るからです。自家用車で通勤するときも運転中は基本的にマナーモードはオンのままです。

会社に着いて、エレベーターに乗って、自席に着くまでオンのままです。自席に着いて、仕事が始まる前に通知を確認し、マナーモードはオンのままです。

昼休み、ランチに外に出るかけるとき、マナーモードはオフにします。ランチの時間を狙って連絡するようにと、知人や家族には連絡しているからです。ランチが終わり、会社の前に来たら、マナーモードはオンです。そのまま、退社時までオンのまま。会社を出たら、すかさず、オフ。プライベートな時間は、マナーモードはオフ（またはオン）。帰りの電車はまたマナーモードをオンに、家に着いたら着替えをして、居間に座って、通知を確認して、充電器にセットして、マナーモードをオフ——といった具合です。

便利技 マナーモードを時間帯で設定する方法

●iPhoneの場合

①設定を開いて集中モードをタップ
②集中モードのおやすみモードを選択
③「スケジュールを追加」を選択
④「時刻」「場所」「App」のうち、「時刻」を選ぶ
⑤マナーモードにしたい時間（開始、終了）を設定

※例えば、「場所」を選んで、会社に来たらおやすみモードをオン、という設定もできます。

●Androidの場合

①クイック設定のサイレントモードを長押し
②スケジュールを選択
③+追加を押して、曜日や開始時刻、終了時刻を設定

※「場所」の設定をする場合は、機種ごとに設定方法が異なります。Pixelシリーズの場合は、設定アプリのシステム⇒ルール⇒ルールの追加で設定できます。

2.12

自動車運転中のマナーモード

運転時は「マナーモード」または「ドライブモード」に

自動車の運転中にスマホを使用するときには、電源をオフにするか、マナーモードなどにした上で、スマホを触ったり注視したりしないようにしなければなりません。

自動車を運転していて（停止時を除く）、手にスマホを持って操作したり、手に持たなくても画像を注視したりすると、「道路交通法第71条5の5」に違反することになります。いわゆる「ナガラスマホ」で、事故を起こさなくても、危険を感じさせる運転をした場合には罰則があります。

便利技 自動車を運転していても通話が許される操作

・ハンズフリーで通話：自動車内で通話をする場合は、スマホを手に持っていないハンズフリーの状態である必要があります。

・声の操作を利用：一部のスマートフォンでは音声コマンド（Siriなど）を使用して通話を操作できる機能があります。

この機能を活用すれば、電話をかけたり、通話をしたり、通話を終了したりすることができます。

※安全な運転を最優先に考え、運転中のスマートフォン使用には慎重になるよう心がけましょう。

2.13

イヤホンしての歩行の迷惑

イヤホンしての歩行や自転車運転は危険

イヤホンを耳に入れて歩行する人たちの多くは、イヤホンからの音声によって周囲と精神的に遮断された空間に浸っています。多くの人は、五感を使って周囲から情報を得ていて、歩行など自律的な移動時は、それらの情報を総合して移動を制御します。

イヤホンをしているだけで、周囲からの音声情報が減ります。人が行動するときには意識しないような雑音も、行動するためには重要な情報として脳は処理します。意識が向けられるような音声（お気に入りの楽曲など）がイヤホンから聞こえていれば、周辺からの音声情報はカットされるでしょう。これによって、イヤホンをしている本人はまったく気づかないうちに、周囲の行動の調和を乱すことがあります。通勤電車からホームに降り、出口に向かう混み合ったホームで、イヤホンをしたまま歩いている人が改札に向かう流れに乗りきれず、周囲にちょっとしたストレスを与えるといった例もあります。

混雑した場所を移動するときには、イヤホンを外し、移動することに行動意識を向けるようにしましょう。周辺の音声が聞こえる、骨伝導イヤホンの使用を検討するのもひとつの方法です。

2.14

他人の「ヒヤリハット」体験を自分のものに

重大事故にならなかった体験の共有

労働災害に関する統計データによる経験則にハインリッヒの法則があります。アメリカの損害保険会社にいたハーバート・ウィリアム・ハインリッヒは、製造業や建築業などの事故を調査した結果、けがに至らなかった300件のヒヤリ、ハットした出来事に対して、軽い傷害に発展した件数は29件、さらに重大事故に至った件数が1件だったそうです。ハインリッヒの法則をそのまま、スマホ利用時の事故に当てはめることはできませんが、重大事故に至らずとも、ヒヤリハットしている利用者が大勢いることは想像できます。

明確に違法である自動車や自転車の運転中のスマホ使用や歩きスマホによるヒヤリハット体験を社会で共有することは、重大事故の発生を抑制します。スマホ文化を熟成させるために、ヒヤリハット体験は積極的に発信しましょう。

2.15

イヤホンからの音漏れ

イヤホンから音が漏れていないかチェック

公共交通機関での移動時にイヤホンを使用するなら、音漏れしていないことを家族や友人などに確認するようにしましょう。

電車やバスの車内で、近い場所から漏れてくる小さな楽曲の音はついつい気になるものです。車内は、好むと好まざるとにかかわらず、社会的距離*内に他者がいる状況です。これによって互いにストレスを感じています。このような状況で人は、それぞれが張った精神的なバリア内にいようとします。しかし、そこで他人が聴いている楽曲の音が聞こえてくると、精神的バリアを維持するのに余計な労力が必要になるため、イライラする人もいます。

＊社会的距離とは、他者との適切な距離を保つための概念のこと。

2.16

電車やバス中でエロ動画

他人に不快感を与える画像は表示しないように

　マナーやエチケットの基本は、プライベートとパブリックの使い分けです。スマホの使用時のマナーも同じです。しかし四六時中、スマホを手放さなくなっている人にとっては、家の自室と通勤通学中の車中の区別がつけにくいのかもしれません。公共の場所においては、ほとんどの人がこのマナーの基本をわきまえているので、公共の場で私的な行動をとっている人を見つけたとき、多くの人はマナー違反を無視しようとします。他人のマナー違反行為による不快感を払拭するべく、情報を遮断しようとします。車内で隣に座っている他人がスマホでエロ画像を見ているところを見つけたとき、目を閉じて見ないようにする人が多いことでしょう。エロ画像を盗み見をしていれば、他の人からはマナーのない同類の人と見られます。

　スマホであれ雑誌であれ、公共の場でエロ画像を人から見られるのはマナー違反です。公共の場でエロ画像を見るのはエチケット違反といえます。

2.17

カフェでスマホなどIT機器を使うときの配慮

ノマドワーカーも使用には配慮を

気軽にくつろげるカフェは、公の場所にありながら一時的で限定的な私的な空間が確保できる特殊な場所です。IT機器などをカフェなどに持ち込んで仕事をする人をノマドワーカーと呼びますが、このような人はカフェをオフィスとして使用します。ベテランのノマドワーカーの多くは、気持ちよく仕事をするためにルールを守っています。しかし、純粋にくつろぐ場所としてカフェにやってくる人たちの中には、ノマドワーカーを嫌う人たちもいます。その理由としては、長時間ずっと居続けること、IT機器の操作音が気になることなどです。ショップ側からすると、客の回転率が低下して売り上げが落ちること、ノマドワーカーを嫌って一般客が減ることが懸念材料です。

このため、カフェでノマドワーカーが仕事をする場合には、混み合っている時間帯の長時間の使用は控える、大人数用のテーブルを占有しない、ノマドワークの使用料に見合うように飲食物などを注文する、ノートパソコンなどを使用するときには音がしないキーボードを使用するなど、配慮していることを見せるとよいでしょう。

2.18

アプリ使用のマナー

公共の場のアプリ使用はマナーを守って

スマホで何をしているかは、他人にはよくわからないものです。公共の場はもちろんのこと、仲のいい友人や会社の同僚の前であっても、スマホの使用時には気をつけたいことがあります。

アプリ使用時に出る操作音やBGMなどは最低のレベルに設定するか無音にしましょう。その場の雰囲気にふさわしくないアプリの使用や、動画などのコンテンツの再生はできる限り控えるようにしましょう。録音や撮影をするときには、あらかじめ場所の責任者や本人に許可をとるようにしましょう。

スマホの場合、電話や通話もアプリで行います。ワイヤレスのヘッドセットを使用する場合もあるかもしれません。周りに人がいるところで、話し相手も見えない状況で誰かと会話し始めると、まず、周囲の人たちは驚いたり、不審に思ったりします。電話がかかってきた場合には、周囲の人たちに一声かけ、少し離れた場所に移動するなどしてから電話に出るようにするのがエチケットにかなっているでしょう。また、通話から戻ったら、どのような用事だったのかなど伝えられる範囲で手短に伝えておくのもよいでしょう。

便利技 画面をタップしても音が鳴らないようにする

静かな場所や公共の場所で「ピッ」という操作音が思っている以上に大きく鳴って、恥ずかしい思いをすることがあります。ここでは、タップしたときに操作音が鳴らないように設定します。

Androidでは、❶「設定」アプリをタップ➡❷「音」をタップ➡❸「詳細設定」をタップ➡❹それぞれのキーの操作音の項目をタップしてオフにします。

iPhoneでは、❶「設定」アプリをタップ➡❷「サウンドと触覚」をタップ➡❸それぞれのキーの操作音の項目をタップしてオフ（灰色）にします。

また、マナーモードにすれば一時的に操作音を消すことができます。

Android

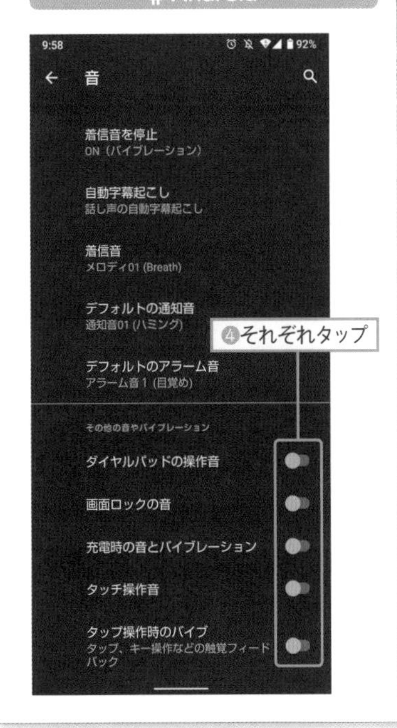

iPhone

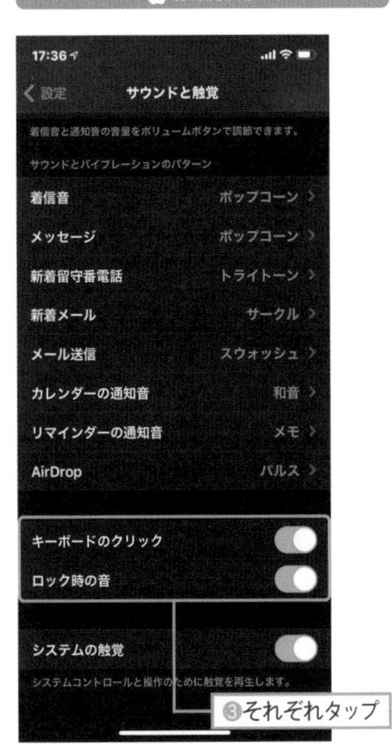

2.19

スマホの盗み見のトラブル

他人にスマホを盗み見られないように

電車などで、隣に座った人のスマホ画面を横目で見る「覗き見」はマナー違反ですが、そのような環境で見られては困る画面を見せている方にも問題があります。

ここでは、同じく盗み見ではありますが、置いてあるスマホを操作して、通話履歴などをこっそり見る「盗み見」のトラブルについて考察してみます。席を離れたすきに、置いてあるスマホを操作して、送受信メールの内容を読んだり、LINEのトーク履歴を見たりするのは、紳士淑女の行為とはいえません。盗み見した人とスマホの持ち主との関係にもよりますが、たとえ親子であっても無断でスマホの中を見られれば怒ります。他人ならなおさらです。

盗み見をするかどうかを確認するため、盗み見トラップを仕込むアプリもあります。人間関係を大きく損なう可能性のあるスマホの盗み見トラブルを起こさないためには、簡単にサインインできる指指紋認証機能付きのスマホを使用し、短時間でロック画面に移行するなど、自己防衛するようにしましょう。

スマートフォンを他人に使用されない対策として、Androidではスクリーンロックをする、iPhoneではパスコードまたはTouch ID/Face IDを設定するのが有効です。

便利技 人に見せたくない写真や動画を非表示にする iPhone

人に見せたくない写真があるときは非表示という機能を使いましょう。選択した写真は非表示扱いとなり、写真アプリでは見えなくなります。

❶「写真」アプリをタップ➡❷画面右上の「選択」をタップ➡❸非表示にする写真や動画をタップ➡❹画面下のホームバーにある「共有」[↑]をタップ➡❺画面をスクロールして「非表示」をタップ➡❻「〇枚の写真を非表示」をタップ➡❼選択した写真が消えて非表示となります。

非表示にした写真は、アルバムの「その他」の「非表示」という場所に移動しました。

「非表示」に保存した写真を見るには、❶画面下のホームバーにある「アルバム」をタップ➡❷画面をスクロールさせて「その他」の「非表示」をタップ➡❸移動した写真が確認できます。

iPhone

2.20

スマホを使っている人へのエチケット

基本は終わるまで待ちましょう

スマホを公共の場で使用している人に向けての気遣い（エチケット）です。

スマホで電話をしている人に、電話が終わるまで話しかけないようにするのは固定電話の場合と同じですが、スマホではマイク付きイヤホンを使って通話していることもあります。独り言のように話していても、Bluetooth対応のマイクに向かって話しているのかもしれません。イヤホンやマイクを着けているかをそっと確認してみて、通話が終わるまで適当な距離を置いて待ちましょう。

通話でなくても、スマホを使用している人に話しかけるときには、少し離れたところから何をしているのかを観察して、話しかけるタイミングを計るようにしましょう。メールやメッセージに文章を入力していたり、Webフォームなどへの入力操作を行っていたりする場合は、操作が終わるまで待ちましょう。

もちろん、音が大きい、画面がまぶしいなどで、こちらが迷惑しているときには、待つ必要はありません。クレームを言って、どうしてほしいか伝えましょう。

2.21

立ち入り禁止の場所に入って撮影するのはマナー違反

マナーを守って安全に

そもそも、「立ち入り禁止」区域に無断で入ってはいけません。そこで撮った写真をSNSに公開するのは、言語道断です。

テレビニュースでも取り上げられる“撮り鉄の行きすぎたマナー違反”では、線路脇の立ち入り禁止区域や、線路沿いの民家の庭先などに侵入して撮影している姿が問題になります。

また、オーバーツーリズムによって、日本の風習や習慣がよくわかっていない外国人観光客が、土足禁止の場所に靴を履いたまま上がって撮影したり、無断で民家の玄関を開けて入って家の中を撮影していったり、といったマナー違反が起きています。

2.22

スクープ映像の撮影にもマナー

自身の安全を確かめてから撮影

突然の事件や事故に遭遇した一般人によってスマホで撮影された映像が、テレビのニュース番組でスクープとして取り上げられることも多くなっています。

例えば、NHKの「スクープBOX」は、投稿者がスマホなどで撮影した動画や写真をニュース番組等で利用するための投稿先です。竜巻や台風による川の氾濫、ビル火災や自動車事故など様々な投稿が寄せられているようです。

NHKの同サイトには、「撮影や投稿を行う場合は、安全に十分気をつけてください。」との一文があるだけで、撮影に関するマナーなどは載っていませんが、もちろん、一般的な社会常識に照らして安全に撮影され、他人の財産等を侵さないように様々な法律に則っているとNHKでも判断した映像が公開されていると思います。

事故や事件のスクープ映像を撮影する機会があっても、自身（撮影者）の安全を第一に考えて行動することが最重要です。その上で、法律やマナーを考慮しながらスマホを操作するようにしましょう。

被害者や加害者などの関係者の個人情報への配慮、さらに現場で事故や事件の対応にあたっている人々に対しての気遣いは忘れたくないものです。もし気持ちに余裕があり、そのための技術や体力があるなら、スクープを撮影するよりも、まずは被害者救助や周辺の安全確保のための行動をとるべきなのは当たり前のことです。

素人がスクープ映像を撮る際の注意点

スクープ映像を撮る際には、いくつかの注意事項があります。

①安全を最優先にする：自分の安全を最優先にし、危険な場所に立ち入らないようにして、事件や事故の現場で映像を収録します。
②適切な距離を保つ：現場では警察や救急隊の作業を妨げることがないよう、適切な距離を保ちます。
③プライバシーを尊重する：他人のプライバシーを侵害しないようにします。傷ついたり、恥ずかしい状態にある人を撮影してはいけません。
④報道機関に提供する場合：映像の正確性や信頼性を確保し、必要な場合は編集や説明を行います。
⑤個人情報は保護する：写り込んだ人々の個人情報（顔、名前、住所など）は隠すか、ぼかしを入れるます。プライバシーの侵害を防ぎます。
⑥許可を得る：特定の場所やイベント会場では、撮影の許可が必要な場合があります。

裏技 動画の撮影中に写真を撮る

動画の撮影をしている画面で「赤」ボタン（録画スタートや停止用）の隣に表示される「白」ボタンをタップすると、動画の撮影をしながら写真も撮れます。

Android、iPhone共に、カメラアプリを起動して❶ビデオを選択し、撮影を開始➡❷そのとき画面に表示される白ボタン（写真撮影用ボタン）をタップすると、その瞬間の写真が撮れます。

メモ スクープ映像や情報を受け付けている報道機関のリスト

・NHK（日本放送協会）：NHKスクープBOX
（https://www3.nhk.or.jp/news/contents/scoopbox_pr/app/）
・日本テレビ（NTV）：日テレ投稿ボックス
（https://www.ntv.co.jp/provideinformation/everyone/）
・TBSテレビ（TBS）：TBSスクープ投稿
（https://www.tbs.co.jp/news_sp/toukou.html）
・朝日新聞社：こちら調査報道班（https://www.joho.asahi.com/）

2.23

写真に写る服装や持ち物への注意

写真から様々な情報が読み取られている

自分の所有するブランド品や装飾を身につけたり、近くに置いたりしている写真をSNSに投稿していた大学生が、窃盗グループの被害に遭うという事件がありました。この大学生は、SNSに自分の生活スタイルや生活場所を写真や動画で投稿していました。大学生が身につけていたブランド品のシャツやジャケット、パンツや靴のほか、画像を拡大すれば腕時計のブランドやネックレス、ブレスレットの価格までわかってしまいます。それらにつけられたキャプションやメッセージなどを見て、窃盗グループは大学生の下宿先を特定し、大学生が不在の時間を狙って部屋に侵入して金品を奪ったのです。銀座の高級店で友達とディナーをしているというSNS、高級車でドライブしているSNS、海外旅行の観光地からのSNSなどの投稿は、窃盗団の目を引いたことでしょう。

既に就活において、企業側では学生のSNSを調査しているといわれています。就活用のブログページを頑張って作っても、高校生時代から行っているSNSには"素の言行"が残っています。中学・高校時代の服装や行動、それにメッセージなどは、友達の面子などが公開されていれば、そららも人物評価の材料にされるかもしれません。

2.24

背景や写り込みに要注意

拡大して背景の情報が読み取られることも

スマホで撮った写真や動画をSNSなどに投稿するとき、被写体については無断撮影をしないように注意しているとしても、忘れがちなのは、その背景です。

撮影してはいけない商品や作品などが、被写体の後ろに写りこんでいる場合があります。小さくて見えないから大丈夫、というのは本当でしょうか。解像度の高いカメラでは、写真を拡大しても鮮明に映っていることがあります。

また、背景に個人情報につながるものが写っている場合もあります。例えば、子供の運動会をスマホで撮ってSNSに載せたところ、自分の子供の個人情報はぼかしたのに、背後の子供たちの個人情報が写真から判別できてしまっているかもしれません。

特定屋

特定屋とは、おもにネット情報から実際の住所を“特定”する人たちのことです。特定屋は、炎上したSNSから関連した本人の本名、住所、学校や職場などの個人情報を特定します。そして、それによって閲覧が大きく増えることがあり、特定屋の収入になることもあります。

2.25

英文メールのマナー

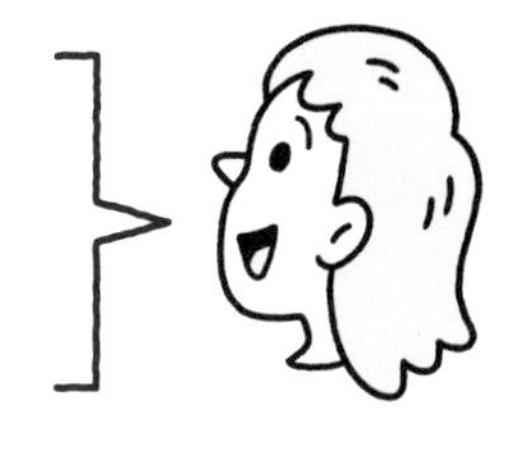

英文メールの書式は「Dear」から

英語のメールを送るときには、宛先や送信元のアドレスはもちろんのこと、件名や本文などすべて半角文字で書くようにしましょう。日本語のかなや漢字を示す全角文字は、書いている自分は読めても、メールを送られた相手は文書すべてが文字化けしてしまうこともあります。

英語のメールを書く場合、宛先や件名（Subject）は日本語のメールと変わりませんが、本文内の基本構成は異なるところもあります。本文の最初は「Salutation」から始まります。相手への呼びかけです。日本語のメールでは、「こんにちは、○○さん」とか「○○さま」に当たります。

「Body」は、本文です。日本語のメール本文と同じで、段落の先頭を字下げしたりしません。また、長文はなるべく避けて簡潔な短い文章で記します。適度に改行したり、空行を入れたりするようにしましょう。

「Closings」は、日本語の手紙では「敬具」「かしこ」に当たる部分です。Salutationと同様で、形式ばった言い方から簡単で親密感のある言い方までいろいろあります。「Sincerely yours,」「Your faithfully,」などはビジネスメールにも使えます。

最後は、「Signature」です。日本語のメールでも同じです。

Dear Mr. Brown, — Salutation

Thank you for giving me the time to speak with y
learn more about the role available. It was a pleas
connect with you.

Please feel free to contact me if you would like an
information about my works. I look forward to hearin
you in the near future. — Body

Sincerely yours, — Closings

Sarutou Valentina — Signature

「親愛なる」から「ハーイ！」

「Salutation」は、相手への呼びかけですので、日本の手紙でいうところの「拝啓」や「前略」に当たる部分です。英語では、「Dear」(親愛なる)から始める「Dear Sir/Madam,」「Dear Ladies and Gentlemen,」などは形式ばっています。「Dear Mr.〇〇,」は親密な間柄でも礼儀正しい言い方です。「Hello,」や「Hi,」は最もくだけた表現です。

2.26

誤変換等の書き間違えは失礼

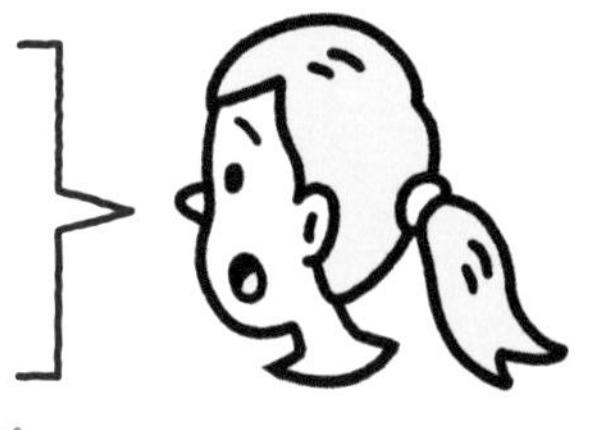

社名や人物名などは特に正しく

メールやメッセージの文章中のおかしな間違いの発見で思うことは、大きく分けて2つに分類できます。1つは、誤変換、タッチミスを見つけたときです。文章には不整合な語句が突然挿入されていたり、不完全に途切れていたりする文書などは、送信前に読み返さなかったために起こる初歩的なミスです。同音異義語の間違いや似た語句による間違いなどもこの類いです。

しかし、会社名や部署名、そして名前の間違いは、ビジネスの世界では大きな失礼に当たるでしょう。名前の漢字は、ちょっとした違いでも正しく入力することが重要です。

送信者情報をコピペする

珍しい苗字、社名や特殊な漢字、記号は、入力するよりもメールやホームページからコピペすれば間違いなく入力できます。操作は次のように行います。

スマホでは、その部分をしばらくプッシュすると、範囲選択するハンドルが表示されるので、コピー範囲を指定し、「コピー」します。入力箇所でプッシュして、「貼り付け」します。

2.27

急ぎ対応してほしい旨のメール

終業時刻間際に送らないように

ビジネスマンとして、会社のPCを起動して最初に行うのは、メールチェックという人も多いでしょう。

では、終業間際はどうでしょうか。やはりメールチェックする習慣の人も多いと思います。今日やり残した仕事はないだろうか、とメールをチェックしたときに、「急ぎで回答してほしい」とか「今日中に手直ししてほしい」などのメールがあると、退社時刻が予定より遅れることになります。

終業直前にしかメールチェックをせず、午前中に届いていたメールの内容に慌てているのは言語道断ですが、相手の終業時刻間際にメールで急ぎの要件を送るのは失礼です（どうしても仕方のない場合もありますが……）。終業時刻近くのメールを見た相手は、急いで対処しなければならないのかもしれないと、残業をするかもしれません。急ぎでないのなら、例えば「来週中に返答してほしい」等と記しておくようにしましょう。

スマホでは、どこからでも簡単にメールできてしまうので、思い付いたときに、つい、メールしてしまうことがあります。スマホのメールも午後2時くらいまでには送信するようにしましょう。重要な要件ならば、電話を入れてからメールを送信するとよいでしょう。

2.28

メールと電話を併用する場合

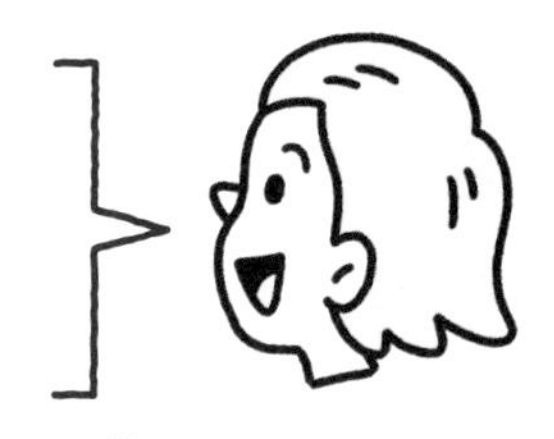

メール送信を確かめる電話は“アリ”

ビジネスの場合、メールと電話を併用した方がよい場合があります。それは、相手にメールしたことを知らせるときです。メールには、相手が内容を読んだかどうかがわかる機能がありません。LINEのような「既読」サインがないのです。このため、メールを読んだ後には、簡単でよいので、読んだことを知らせるメールを返信するのがマナーです。

メールの内容を相手に読んでもらいたいときには、メールを送った後に電話でメールを送った旨を伝えるとよいでしょう。

このとき、スマホの使用中であれば、メールを送信してからすぐに電話をかけたくなるかもしれませんが、スマホであっても少し時間を空けるようにしましょう。少なくとも30分程度後で電話をするようにしましょう。

2.29

メールの絵文字は失礼？

ビジネスメールに絵文字は使わない

メールやメッセージの文章は、印象が硬くなりがちです。そのことは、ビジネスにおいては「信頼」にもつながるため、メールやメッセージが使われます。これらのコミュニケーション手段の特性を活かした使い方といえるでしょう。

プライベートな交歓においてメールやメッセージを使う場合に、これらの“硬い”印象を和らげる目的で使われるのが絵文字です。「ありがとう😘」や「よかったね✌」は、プラスの気持ちを伝えるのに効果的でしょう。また、「許さないよ😠」「よく考えて！🥺」などは、心配していることを柔らかく伝えるのに効果的かもしれません。

スマホでは、家族や友達との連絡に気軽にLINEやメッセージを使用することが多いので、絵文字を使う機会も多いでしょう。このような絵文字ですが、ビジネスでは使わない方がよいでしょう。

理由として1つは、字面から子供っぽい印象になること。また、同時にいくつかの意味を含む絵文字もあるので、真意が伝わらないこともあること。そして、絵文字は正式な文字ではないため、選んだ絵文字が相手側でも正しく表示されるかどうか保証されないことなどを考慮します。

署名に入れる絵文字

ビジネスメールの本文中に入れると、軽率でなれなれしいイメージを与えがちな絵文字ですが、メールの最後の署名に入れることで効果的に相手に印象づけることもできます。例えば会社が農産物を扱っているなら、季節ごとにその季節にふさわしい果物の絵文字をつけてみる、というようにです。

便利技 絵文字はどうやって入力するの？(絵文字)

メールやLINE、Xなどのメッセージ中に絵文字を入れたいときがあります。

スマートフォンに標準で用意されている絵文字のほか、LINEで使える絵文字もあります。

絵文字は次の手順で入力することができます。

❶文字入力のときに、画面下に表示されるキーボードの左にある絵文字アイコン☺記をタップ➡❷絵文字の中から入力したいアイコンを選んでタップします。

Android／iPhone共通

第3章

スマホ非常識の範囲

スマホから発信したちょっとした情報が、あっという間に世間に広がってしまうこともあります。自分のした行為に後悔したり、被害にあったりしないためにどうすればよいのか。

3.1

おばかな投稿（バカッター）

仲間ウケを狙ったバカ騒ぎが拡散して世間から非難の的に

仲間内だけでウケる「悪ふざけ」を画像や映像に撮って、それをSNSにアップロードして盛り上がることがあります。意図的に行ったふざけた行為でなくても、偶然起きた行為で、仲間からは“ウケる”あるいは“冷笑される”画像や映像がアップロードされることもあります。いずれにしても、画像や映像の本人（人ではない場合もあります）のことを知っている仲間内で楽しむものです。このような人たちは「ツイッター（Twitter、現X）にバカなツイートをする者」という意味でバカッターと呼ばれます。現在ではツイッターに限らず、同種の者をバカッターと呼んでいいでしょう。

このようなバカッターによる投稿は、現在、多くの悲喜劇を生んでいます。デジタル化された社会では、過去の投稿も掘り起こされて再公開されることから、本人も忘れていたような悪ふざけが表面化することもあります。

過去のインターネット上の情報を削除する「忘れられる権利」が、この先、認められるようになると思われますが、システム上、インターネット上に一度保存された情報を完全に削除することは非常に難しいと考えられます。

3.2

迷惑行為の投稿への代償

迷惑行為が社会に与える損害や影響の大きさ

日本ではネットでの“悪ふざけ”だと大目に見る傾向にあった諸行為は、なかなか減少しないことから、西洋なみの厳罰化を要望する声が大きくなっています。例えば、2023年2月、回転寿司店で商品を含む食品に対して行われた“悪ふざけ”をSNSに投稿した人たちは、ついに逮捕されるに至りました。メディア各社は、かつて“悪ふざけ”と呼んでいた行為を「迷惑行為」に格上げ（?）して取り上げました。

このような迷惑行為投稿に対して、関係業界のみならず多くの人々からも厳罰化が求められました。これは、安易な迷惑行為が、ひいては食文化の存続にも関わる大問題になるととらえていることからです。事件の発覚はSNSで瞬く間に全国に広がり、当該店舗は休業しました。同類の事件が起きた場合、休業期間の店舗の売り上げの保証、チェーン店への影響、その間の従業員等への賃金、お詫（わ）び広告費、裁判等にかかる費用など、莫大な金額が請求される可能性があります。個人が払える限度を超える賠償額に対して、個人破産等で逃れることができない場合もあります。裁判所から財産開示命令が出され、賠償を生涯にわたって続けなければならないこともあり得ます。

3.3

SNSの拡散力

拡散力からはSNSも公共の場と考えた方がよい

スマホを使うということは、ネット社会の一員になることを意味しています。SNSを見ているだけでなく、何かを発信するなら、SNSが現実社会（リアル）と比べて、桁違いの拡散能力を持つことを知らなければなりません。暇つぶしに上げた何気ない投稿でも、いったんネットに上げてしまうと、投稿者の意思に左右されることなく、拡散し続ける可能性があります。

例えば、次のような例があります。SNSで500人とつながっている人がいるとします。まず、"500人"という数字は決して無理な数字ではありません。特定の分野において比較的名の知られた人なら達成されている数字です。500人とつながっている人の中にも別の500人以上とつながっている人がいます。仮に最初の人とつながっている500人すべてが500人とつながっているとします。これだけで、1人から発せられた情報は、たった2回の再投稿で500人×500人＝25万人に伝わることになります。そして、この25万人がそれぞれ500人に投稿したとすると（あくまでも数学的な仮定の話ですが）、日本の総人口に当たる人々に情報が伝播（でんぱ）します。数学的に仮定した最大効率による情報伝播ですが、たった3回の再投稿で日本人全部が知ることができました。

3.4

炎上の法則性

多くの炎上は強い正義感から起こり過剰性を帯びていく

過去に起きた炎上についての研究によると（田中辰雄・山口真一著『ネット炎上の研究』勁草書房）、ネットの炎上の原因は次の5つの型に分類できます。

（Ⅰ型）反社会的行為や規則・規範に反した行為。
（Ⅱ型）何かを批判する、あるいは暴言を吐く、デリカシーのない発言をする、特定の層を不快にさせるような発言・行為をする。
（Ⅲ型）自作自演、ステルスマーケティング、捏造（ねつぞう）の露呈。
（Ⅳ型）ファンを刺激。
（Ⅴ型）他者と誤解される。

炎上させるネットユーザーたちは、上記Ⅰ型～Ⅳ型の書き込みや動画を見つけたとき、炎上対象の有名人や法人、ときには一般人に対して、それらの不道徳性（マナーやエチケット感覚の欠如あるいは不足）をあげつらって、大量のメッセージを書き込みます。炎上に加担するネットユーザーたちの多くは、対象の言動について義憤にかられている場合が多く、これらのネットユーザーの一部は、一般には過剰と思われるような行動を続けることになります。

炎上の効能

法律や規範の違反行為あるいはマナーやエチケットにもとる言動に対して炎上が継続しているとき、社会的には世論がそれをどのように見ているかが問題です。炎上を認める心情が過半数を占めるようでは、炎上はなかなか沈静化しません。炎上の対象者が様々なメディアを通じて謝罪を表明しても炎上が収まらないときは、ネットユーザーを含めた世論の多くが「社会的制裁は十分ではない」と思っていると理解した方がよいでしょう。

これによって、炎上の対象者は、さらに自己反省や自己改革を迫られます。炎上が沈静化するころには、炎上という外圧によって個人や法人の意識や組織が変革されていきます。

3.5

SNSに武勇伝を載せるのは注意

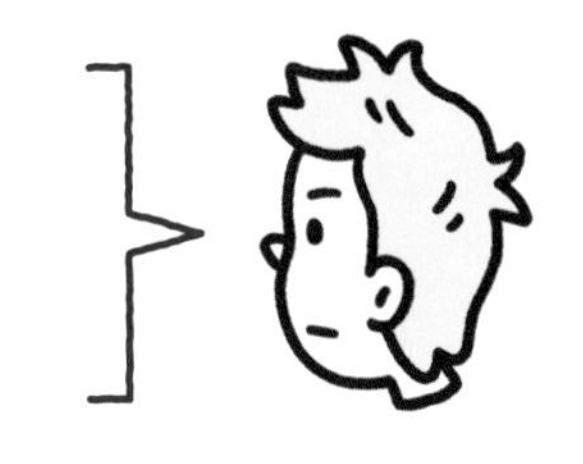

自慢話はホドホドに

人生がそのまま刻まれた風貌のシニアが居酒屋で、「若いころはやんちゃしていた」とか「ボーナス全部を競馬につぎ込んだ」とか、昔話を懐かしそうに語る姿には、哀愁を感じたり、ほのぼのとした温かさを感じたりすることがあります。

ところが、SNSでこの手のメッセージが流れてくると、（人にもよりますが）おおむね“ウザッ！”ということになります。ネットワークでは、心情や心根、真意が伝わりにくい、というより、ほとんどの場合は伝わらない、と考えておいた方がよいでしょう。

もちろん、シニアの人たちに限らず、（他の人や組織を攻撃する目的でなく、誹謗中傷に当たらないなら）自分の意見や考えをSNS等に自由に載せて構いません。SNSでつぶやいた武勇伝も独り言です。しかし、それが特定の人や組織に向けて語られていた場合には、実生活と同じように、相手がどう扱っていいか戸惑ったり、昔は許されていたルール違反に反発したりする可能性があることも、十分に理解しておく必要があるでしょう。

3.6

炎上はネット自浄作用をもたらすか

炎上を進歩の糧とできるか

炎上が起きている現場では、火に油を注ぐような言動や、互いの誹謗中傷合戦、過去のログの蒸し返しなど、ぐちゃぐちゃの泥試合の様相を呈することがあります。

感情的な書き込みにはいちいち反応せず、冷静な証拠ある指摘、建設的な意見、真摯な反省姿勢、変革の道筋と途中経過報告をやり取りすることで、炎上が沈静化していき、炎上の対象になった個人や組織が社会的な進歩を遂げられる可能性もあります。“雨降って地固まる”といった感じです。

反対に、炎上が泥試合になった場合は、冷静なユーザーや真に改革を望むユーザーが傍観者に回ったり、嫌気がさして退席したりします。こうなると、沈静化が遠のくだけでなく、炎上対象者の社会的な進歩、製品やサービスの改善もおぼつかなくなるでしょう。

3.7

嘘のレビューを書き込んだら

不当表示として罰せられる可能性があります

クチコミサイトあるいはレビューサイトとは、サービスを受けた感想や製品を使用した体験談などを集めたWebサイトです。サーチエンジンで食事できる場所を検索したとき、上位に表示されることも多く、日常的に利用する機会の多い情報サイトです。

クチコミサイトへ投稿しているのは、そのサービスや製品を実際に体験した個々人の価値観や感覚による評価や感想のはずなのですが、意図的に投稿されたものも一定量あるといわれています。このような書き込みは、景品表示法で禁止されている「不当表示」に当たる可能性があります。

コラム ステマ規制法

企業側が意図した広告なのに、広告業者あるいは当社が消費者になりすまして好意的な口コミを投稿するステルスマーケティング（ステマ）は、法的に禁止され、「広告」表示の明示が必要になっています（2023年10月から）。これにより、ステマを依頼した広告主は罰せられるようになりましたが、インフルエンサー等は処罰の対象に含まれません。

3.8

炎上系 YouTuber の言い分

非常識で注目を集める手法への違和感

YouTuber(ユーチューバー)とは、動画配信サービスYouTube(ユーチューブ)に動画をアップし、その再生回数に応じて受け取れる広告料をおもな収入源としている人のことです。

YouTuberの多くは、動画の内容(コンテンツ)の撮影から編集まで自前で行います。また、YouTuber自らが動画に出演するのも一般的です。このため、YouTuberのパーソナリティが視聴者を獲得する大きな要素になっています。

これまでのマスメディアと同じように、ニュース性のあるコンテンツは注目されます。しかし、取材力や機動力に劣るYouTuberは、マスメディアの記事を参照するなどしてまとめ的なコンテンツを作りますが、これには内容に限界があります。そこで、一部のYouTuberは、自らがニュースになること、ときには事件を自ら作り出すことによって目立とうとします。これが炎上系YouTuberです。マスメディアに取り上げられることでそのYouTuberの動画の再生回数が上がり、収入が得られることになります。

3.9

フェイクニュースは見分けられるのか

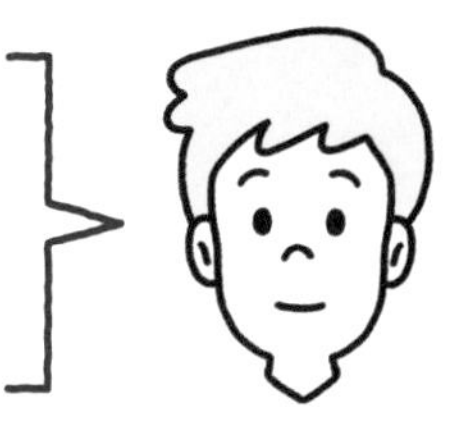

偽か真実かを見分けられないこともある

偽の情報、それがフェイクニュースです。デジタルの映像、画像、音声が意図的に編集されていても、簡単には見破れません。まして、実物が何だったのか、消されてしまっていては真偽はわかりません。

2016年4月14日と同月16日に熊本を襲った最大震度7の大地震では、熊本市を中心として大きな被害が出ました。このとき、当時のTwitter（現X）に、「地震によって動物園も被災し、市内をライオンがうろついている」旨のメッセージ（「おいふざけんな、地震のせいでうちの近くの動物園からライオン放たれたんだが　熊本」）と、夜間の道路を歩く雄ライオンの写真が投稿され、瞬く間に拡散されました。この投稿（フェイクニュース）を行ったのは、神奈川県の20歳の会社員で、後に逮捕されました。

この悪ふざけで使用された写真は、拡大して詳細に見ると、日本で撮られた写真でないことがわかる偽物でした。大災害時であってもいとも簡単に偽情報が拡散され、人心をかき乱すようなネット社会の恐ろしさを感じずにはいられません。

SNSやWebの情報が本物かどうか確かめるには、信頼できる情報源と照らし合わせることが重要です。

フェイクニュースを見分ける方法

フェイクニュースかどうか判断する際に役立つ方法やガイドラインがいくつかあります。以下のポイントを考慮してみてください。

①信頼性のある情報源を確認する（信頼性のあるメディア機関や公式の報道機関からの情報かどうかを確認する）。
②複数の情報源を確認する（同じ情報が複数のメディアで報じられている場合、情報の信頼性が高まる）。
③文脈を考慮する（記事の中で情報が抜けている場合や、情報が誇張されている場合には注意が必要）。
④画像やビデオの出所を確認する（画像やビデオがフェイクかどうかを確認するため、出所を追跡する）。

3.10

フェイクニュースとディープフェイク

人やAIによって“作り出された情報”

フェイクニュースは、特定の人物やグループ、商品やサービスへの何らかの影響を意図して流される偽の情報です。拡散力の強いSNSでフェイクニュースが拡散されると、それを信じてしまう人たちが爆発的に増え、様々な社会的な問題を引き起こすことがあります。

ディープフェイクは、AI技術を使って作られた偽物です。アプリを使って誰でも簡単に、実際にはない画像や映像、音声が作れます。なお、ディープフェイクを作り出すための人物のデータを使用するにあたっては、あらかじめ同意を得ておくことが必要です。また、ディープフェイクは、簡単には現実の人物や現象と区別がつきません。このため、ディープフェイクの作品を作成したり、それらを配信したりするときには、ディープフェイクであることを明示する必要があるでしょう。ディープフェイクを新しい創造ツールとして歓迎する声がある一方、創造物がフェイクニュースとして使用された場合、偽物と見分けることが難しくなるため、利用を制限する動きもあります。

3.11

災害時のデマ／差別デマ

冷静な判断ができない非常時に起こり得る情報のゆがみ

意図した偽情報ではないのですが、間違った内容の浮説（デマ）を流しても、それが衝撃的なものであればあるほど次々に広がります。デマの多くは、冷静さを失った一般の人たちの善意によって伝達されるものです。災害や大規模な事故などによってパニックが発生しているときには、集団心理も重なってすさまじい勢いでデマが広がることもあります。災害時は欲しい情報が少なく、誰かの希望的観測や根拠のないイメージでも貴重な情報として扱われ、広がるにつれて次第に尾ひれがついていき、最後には真実とは異なる誇張されたりゆがめられたりした情報になることがあります。1923年9月1日に起きた関東大震災では、「震災の混乱に乗じて中国人や朝鮮人が集団で日本人を襲う」というデマが流布されました。

多くの人がスマホで得た情報を簡単に拡散できる現代においては、デマの拡散に加担しないような情報リテラシーが要請されます。

生成系AIが作った文章か見分ける

ChatGPTに代表される生成(系)AIが作成した文書か、人が作った文章かを判断するのは困難です。既に、学校の宿題や課題などに使用されることが問題視され始めています。

そこで、生成系AIによる文章か、それとも人間が書いた文章かを判断するためのツールへの要望が高まります。ChatGPTの開発元(OpenAI)でも、この種のツール(AI classifier)を開発・無料配布しています。

デマを拡散させる人

デマを意図的に(意図的ではないにしても、何かのメリットを感じて)広げることに加担する人がいます。かつて、「新型コロナワクチンによって1万2000人以上が死亡している」というデマが拡散されたときの、その出どころを取材した記事(NHK WEB特集「誰が、何のために『デマ』を拡散させるのか?」)によれば、デマを最初に流した人の中には、免疫機能を高めるためのサプリメントなどを売って金銭的な利益を得ていた人がいたとされます。

3.12

「いいね」と「やだね」の数

投稿内容や重要性の1つの判断基準として

いいね機能がついているSNSやブログでは、投稿ごとの内容を読んだ人の賛同がどれくらいあるかを知ることができます。嫌いな投稿についていることもある「やだね」ボタンをわざわざ押す人は少ないので、単純に賛成票と見ることはできません。また、投稿の内容をよく読まずに「いいね」ボタンを押す人もいます。「やだね」の数が多い投稿を好んで読む人もいます。ということで、投稿の内容を読む前の、あくまで参考用の指標と考えればよいでしょう。

「いいね」の非表示

インスタグラムでは、「いいね」の数を競うことがエスカレートしすぎて、“映(ば)える”を誇張して演出した写真が増えました。その結果、実際にはない商品やサービス、風景や建物が存在しているような勘違いも生まれ、社会的に問題視されることになりました。

多くの人が様々な用途に使用するようになったSNSでは、その社会的な責任も取り沙汰されるようになり、「いいね」の数の競い合いをSNS自らが助長することは抑制される傾向にあります。

3.13

しつこい「いいね」要求には

無視しても大丈夫

SNSには、閲覧者の反応や評価を得る機能として「いいね」ボタンが設置されていることがあります。YouTubeなどでは、「高く評価」に当たります。これらの数は、人気記事（人気サイト）のバロメーターになっています。このため、閲覧者に「いいね」ボタンを押すよう要求する行為が起こります。

「いいね」の要求や強要が嫌なら、相手に要求をやめるようにメッセージを伝えましょう。2者間の関係性によっては、これで要求がやむ場合があります。しかし、しつこい要求に辟易（へきえき）するなら、その要求を無視すると、要求されなくなる場合があります。ただし、この方策は2者間の関係性によっては逆効果になり、相手からの行為がエスカレートする可能性もあります。SNSによっては、相手にわからないように相手からのチャットやメッセージをブロックする機能があります。

それでもやまない場合、心理的に大きなダメージを受けたり、身体生命に危険を感じたりする事件に発展することもあります。速やかに警察や弁護士に相談するようにしましょう。

3.14

拡散希望／リツイート希望にはどうするか

無視しても大丈夫

SNSやメールで、「リツイート希望」とか「拡散希望」などとあったとしても、内容を吟味せずに簡単にリツイート（Xではリポストという）、拡散することは避けましょう。

内容に反社会的あるいは差別的な記述、公序良俗に反するものなどが含まれている場合、そのような内容を広めることに手を貸すのはよくありません。後に拡散の責任を問われることもあります。

不適切と判断した内容を拡散することを強要されたり、しつこく要求されたりする場合は、その要求を無視するかブロックしましょう。

3.15

個人情報の範囲は

(組み合わせてでも) 個人が特定できる情報

ネットに個人情報を安易に載せることは避けましょう。自分の個人情報だけではなく、もちろん、家族や友人、他人の個人情報も載せてはだめです。ネット上にアップロードした情報は、あっという間に世界のどこからでも閲覧可能になります。また、いったんネット上にアップロードしたデータは、自動でも複製されることがあり、削除したと思っていても、別の場所に残っている可能性があります。

さて、個人情報とは、個人を識別できる情報です。例えば、生年月日だけでは個人を特定できません。住んでいる市区町村だけでも特定できません。しかし、この2つを組み合わせると個人が特定できる可能性があります。この場合の生年月日、住居地は個人情報になります。

「拡散希望」「リツイート希望」への対処方法

以下のような対処が考えられます。

①情報の正確性を確認する：拡散等を要求された情報やメッセージの内容が事実に基づいているかどうかを確認しましょう。

②自分の価値観と一致するかを考える：自分自身がその情報を支持できるかどうかを検討しましょう。

③プライバシーを保護する：自分自身や他人のプライバシーを侵害する可能性のない情報かどうかを確認しましょう。

④無理に拡散しない：自分が納得できない情報や、拡散することに抵抗を感じる情報については、無理に拡散する必要はありません。

メモ

個人情報とは何か

①識別可能な情報：名前、住所、電話番号、メールアドレス、社会保障番号、運転免許証番号などの情報を含みます。

②個人の属性情報：生年月日、性別、国籍、民族、職業などの情報を含みます。

③金融情報：銀行口座情報、クレジットカード番号、収入情報などの情報を含みます。

④健康情報：個人の健康状態や医療記録も個人情報となります。

⑤位置情報：スマホのGPSデータやネットワークのIPアドレスなどの情報などが含まれます。

⑥オンライン活動：Webサイトの訪問履歴、オンラインショッピングの購買履歴、SNSの投稿などの情報が含まれます。

便利技 個人情報を漏らさない！ パーソナライズされた広告をオフにする

無料アプリを見ていると、過去に検索した内容に関連する商品の広告が掲載されたりすることがあります。個人の嗜好（しこう）の情報を取得されないように、広告の設定をオフにしておきましょう。これによって、今後は個人情報の第三者への提供を拒否することができます。

Androidでは、❶「設定」アプリを起動➡❷「Googleサービスと設定」をタップ➡❸「広告」をタップ➡❹「広告IDをリセット」のところで、「広告のカスタマイズをオプトアウトする」をタップ（有効にする）➡❺「インタレストベース広告をオプトアウトしますか？」画面で「OK」をタップします。

iPhoneでは、❶「設定」アプリを起動➡❷「プライバシー」をタップ➡❸「トラッキング」をタップ➡❹「Appからのトラッキング要求を許可」のボタンが緑色になっていないことを確認します。

Android

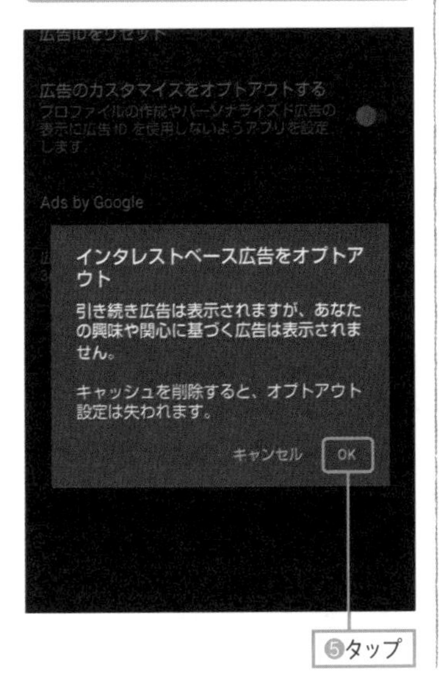

iPhone

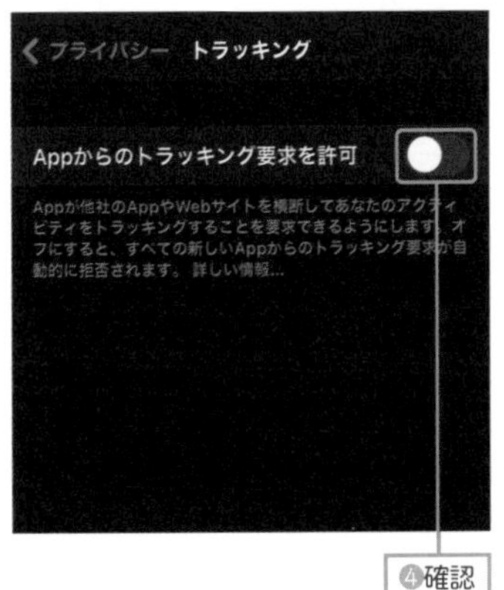

3.16

バイトテロや迷惑行為

店や商品の信用を失墜させる損害行為

おもにアルバイトが、店の商品へのいたずらや店内での悪ふざけの様子を写真や動画にしてSNSに投稿することで、店や商品にダメージを与えることがあります。内部の関係者によって引き起こされた場合はバイトテロと呼ばれ、客が引き起こす迷惑行為とは区別されます。

飲食店でのバイトテロ、迷惑行為は、特に衛生面からの非難が多く、その後の飲食店の売り上げが低迷するなど、店に大きな被害が生じることがあります。店からの損害賠償請求は、バイトテロおよび客が起こした迷惑行為のいずれにおいても行われます。2023年には回転寿司店での迷惑行為を行った客が逮捕される事態となりました。度重なる客の迷惑行為に飲食店側も苦慮しています。

3.17

「炎上」ってどういうこと

SNSやブログなどインターネット上のコメント欄に批判や誹謗中傷が集中して投稿されること

SNSやブログなど、個人あるいは特定の組織が掲載した意見、信条、感想や創作物に対して、その閲覧者はコメント欄などで賛否などの意見を表すことができます。さらに、これらの意見に対して別の閲覧者が意見を表すこともできます。そのため、インターネット上の意見や記事に対して、様々な意見や感想が重なって広がり、相乗効果で内容が深まっていくこともあります。

このような閲覧者からの反応の中で、投稿に否定的な反応が急増した場合、否定的な投稿者たちの間での相乗的な意見の深まりが先鋭化し、ついには投稿主体を攻撃するような内容が多数投稿されることがあります。これが炎上です。

バイトテロや迷惑行為への対処方法

商業店舗でのバイトテロや迷惑行為に遭遇した場合は、以下の対処方法を検討します。

・緊急の場合は警察に通報する
・証拠を収集するために写真やビデオを撮影する
・被害を受けた事業者や上司に報告する
・法的措置を検討し、警察や弁護士に相談する

予防策としては、商業店舗でのセキュリティ対策を強化し、従業員に対して緊急対応の訓練を行うことが挙げられます。

炎上にならないように、自分を守る方法

炎上を回避して自分を守るためには、以下の方法を考慮しましょう。

①情報の正確性を確認する：SNSで情報を共有する前に、信頼性の高い情報源で確認しましょう。
②感情的な反応をしない：他のユーザーの発言に対して冷静を保ち、感情的な言葉遣いは避けましょう。
③相手の意見を尊重する：議論やディベートで相手を攻撃しないように注意しましょう。
④個人攻撃をしない：他のユーザーを個人的に攻撃（誹謗中傷）しないようにしましょう。
⑤SNSのブロックやミュートを活用する：ブロックやミュートの機能を利用して、そのユーザーとの接触を断ちましょう。
⑥情報リテラシーを向上させる：信頼性の高い情報源を利用し、情報の真偽を検証するスキルを磨きましょう。

3.18

炎上商法とは

ネット上で注目を集めるための手法

炎上商法は、おもにメディアを利用し、不適切な言動により注目を集めることで、商品やサービス、企業などの知名度を上げるマーケティング手法です。“不適切な言動”には、道徳的、社会的、個人的など、限られた価値観を狙ったものが多くあります。

炎上商売が成功するかどうか、炎上後に商売としてプラスになるかどうかは、目論見(もくろみ)と異なることもあります。炎上の要素には、個人の感情が絡むことがあり、多数の感情や思惑による相互作用が絡み合うことで、当初の炎上商売の企てとは異なる動きをした場合、炎上商法が失敗することもあります。

コラム 人の噂も○○日

日本のことわざに「人の噂も七十五日」というのがあります。他人の言動に関する噂話も、自分に関係がなければ、75日くらいで終息し、忘れされてしまうもの、といった意味です。英語では、「A wonder lasts but nine days.」があります。9日間とは短いと感じます。「噂」と「驚き」は、どれほど違っているのでしょう。

3.19

ネット自警団とは

ネット内の不正や悪を探し出そうとする私的集団また個人

ネット社会で起きている犯罪などの不法行為、いじめやいやがらせなどの差別行為を取り扱う日本政府の部署は警察庁で、現実社会における犯罪などと同じです。これとはまったく関係なく、SNSなどで悪事自慢などをして炎上した一般の行為者を特定し、その実社会での個人情報の公表（ネットスラングで晒し（さら）あるいは曝し（さら））を行う私個人あるいは私的な集団がいて、ネット自警団と呼ばれます。

ネット自警団は、ネット上にある様々な情報から“容疑者”を探し出し、その個人名はもちろん、住所や履歴、家族の勤め先や家族構成などまで突き止めようとします。捜査過程やその結果は、SNS上で逐次公開されます。事件が大きければ大きいほど、ネット自警団による捜査過程への関心も大きくなります。ネット自警団によって、個人情報までもがネット上に表示されることになるため、電話やメールなどによる容疑者やその関係者への非難や嫌がらせが起こり、実社会での活動にまで影響が及ぶこともあります。このような、ネット自警団による行きすぎた行動はネット中傷やネットリンチなどと呼ばれます。

3.20

ネットでの誹謗中傷の代償

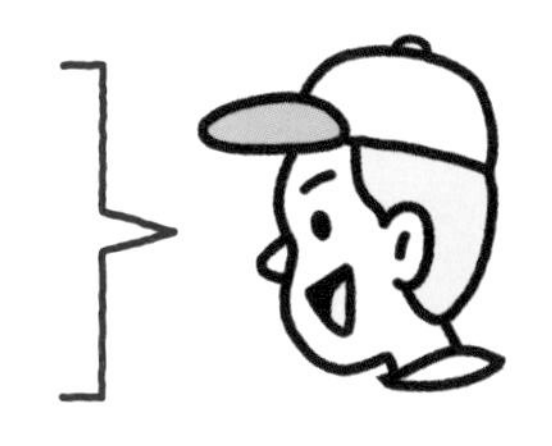

侮辱罪に当たると最高で禁固刑

ネット社会では、匿名または別名を使って様々な活動をすることが可能です。ネット社会の匿名性を利用して発信したメッセージの、実社会よりも大きな影響力を楽しむ人たちは、ともするとネット社会での言動がエスカレートしていき、本人も気づかないうちに他人を誹謗中傷してしまうことがあります。

テレビに出演していたタレントの言動がネット上で問題視され、SNSを中心に誹謗中傷が繰り返されたために、活動をやめたり自殺したりすることも起きています。また、SNS上で起きた小さないざこざをきっかけとして、相手に実名を晒されたり、家族への危害を匂わされたりした事件にまで発展したこともあります。

ネット上で他人の個人情報を無断で公表すると、名誉毀損罪や公表罪に問われることがあります。また、プライバシーを侵害した等で慰謝料を請求されることもあります。

ネット上での匿名問題については、現在、プロバイダーに対して発信者情報の開示を求めるのに要する費用は、数千円程度にまで下がっています。また、ネット上での誹謗中傷に対しては、侮辱罪が厳罰化（1年以下の禁錮もしくは30万円以下の罰金等）されています。

盗撮処罰の法律

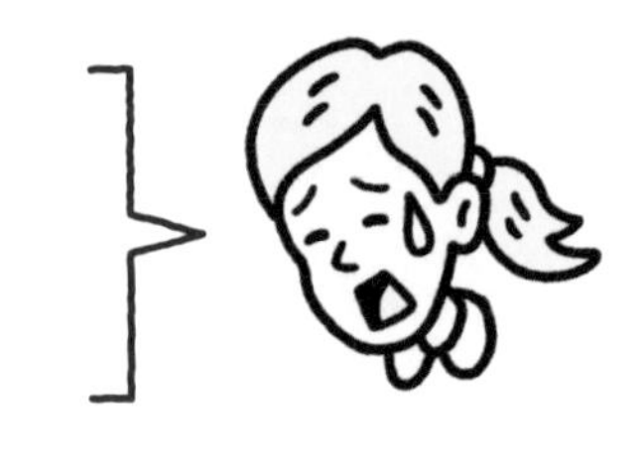

盗撮への法的整備進む

盗撮とは、一般には相手の人に激しい羞恥や不安を覚えさせることになる撮影なので、自動的に本人に無断で撮影することになります。多くの人が様々な場所に持ち込むスマホのカメラ機能を使えば、簡単に盗撮に及ぶことができます。

スマホのカメラを使った通常の撮影では、シャッター音がします。この音は盗撮防止のためにつけられているのですが、いくつかの方法で消すことも可能です。スマホから操作できる小型の隠しカメラも市販されていて、盗撮をするしかないかは使用者の道徳心に任されているところが多くあります。

盗撮を抑止しようと、各自治体は迷惑防止条例などを制定しています。しかし、内容にばらつきがあり、場所が特定できない場合には処罰できませんでした。

2023年6月にようやく新設された「撮影罪」(同年7月施行)では、性的な部位やわいせつ行為、着用中の下着の盗撮やそれらの画像の第三者への提供などを処罰対象として整備されました。

3.22

人を撮るとき

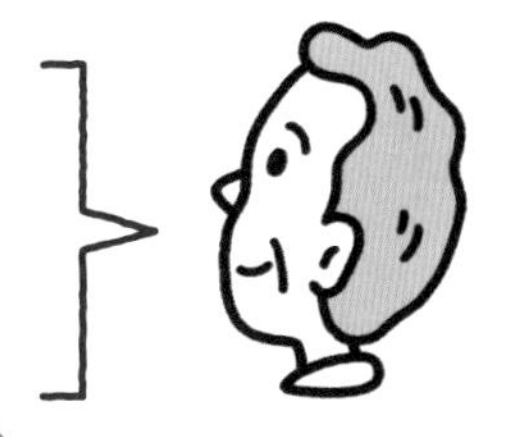

基本的には口頭で承諾を得てから

個人を特定できる写真や動画を撮る場合には、本人または保護者等の同意を得るようにしましょう。ただし、個人が特定できないほど小さかったり、観光地や公的な場所での撮影でその個人をメインとしていなかったりする場合には、同意を得る場合はないとされています。

印象的な服装やグッズを持っているイケてる人、おいしそうに飲食している幸せそうな写真など、被写体として個人を撮りたいときもあります。そのようなときには、一言「撮ってもいいですか？」と声をかけ、さらに「SNSに上げてもいいですか？」など使い道も示すとよいでしょう。

3.23

本屋でグラビア本や雑誌類を撮影するのは

もちろんNG！

グラビア本から芸能人の写真を撮影し、それをSNSに載せるのは著作権の侵害になる可能性があります。著作権法侵害は、刑事、民事の両方に及びます。

なお、買わないグラビア本を本屋で開いて、掲載されている写真を勝手に撮る行為は、デジタル万引きと呼ばれます。このようなデジタル万引きによる写真をSNS等に載せずに私的に見て楽しむのであれば、この行為自体は著作権を侵害しない可能性もあります。しかし、書店にとってはやはり万引き（窃盗）に類する行為として、認めるわけにはいかないでしょう。

そこで書店やコンビニでは、書籍等をスマホで撮影することを禁止する貼り紙などをしています。このような店側の注意を無視して雑誌等の内容を複製すると、建造物侵入罪が適用される可能性もあります。

3.24

キャラクターTシャツを着て動画配信はOK？

著作権法に違反しません

著作権法の一部改正（2020年公布）により、キャラクターがプリントされたシャツを着ている被写体（著作権のあるキャラクターが「写り込み」している）を撮った動画については、著作権法に違反しないことになりました。

著作権法第30条の2（付随対象著作物の利用）から一部を抜粋して要約すると、以下のようになります。

「複製伝達行為を行うに当たって、対象とする事物又は音に付随して対象となる事物又は音に係る著作物は、当該著作物が軽微な構成部分となる場合であれば、正当な範囲内において、当該複製伝達行為に伴って、利用することができる。ただし、著作権者の利益を不当に害することとなる場合は、この限りでない」

上記の「正当な範囲内」というのには、利益目的ではない、分離が困難、果たしている役割が小さいなどです。シャツにプリントされたキャラクターが小さく、不鮮明で、写真の意図に関係していないと判断される場合、著作権侵害に当たらないことになります。

3.25

商品の前で価格調べ

店内でのスマホ使用は店員さんに訊(き)いてからがベスト

商店の中で商品の前に立ち、スマホで他店やネットの同商品の価格を検索するのは、違法ではありません。また、店側が撮影を断らない限り、基本的には店内で撮影することは違法ではありません。

家電量販店の店員が、客との価格交渉時にスマホを使って他店の動向を検索することもあり、自分で検索した結果を見せて、店員に値下げ交渉をするといった使い方ができる場合もあります。

しかし、商店のすべてがこのような顧客の行為を歓迎しているのではありません。商店によっては、店舗内での顧客のスマホによる写真撮影や価格調査を禁止しているところもあります。このような店舗でその禁止事項を行えば、注意されたり退店を求められたりします。スマホを使うことで他の顧客に迷惑がかかっていたり、危険性が感じられたりすることがあればなおさらです。

商店内でのスマホ使用は、店員に確認してから、周囲の顧客等に迷惑をかけないようにして行いましょう。

3.26

無断で会話を録音

承諾を得るのがエチケット

相手に無断で会話を録音することに関して、日本では明確に違法とはいえません。違法ではなくても、「これから録音する」ということを相手に宣言し、その承諾を得ることがエチケットとしては必要でしょう。

ニュースなどでは、セクハラやパワハラの証拠として無断で録音されたと思われる音声が流されることがあります。このような録音が証拠になるかどうかは、その都度、司法によって判断されます。

裁判の証拠にするつもりもない無断の録音（秘密録音）は、プライバシーの侵害になる可能性があります。また、その録音をもとに、相手を脅迫したり金品を要求したりすれば、録音後の行為が犯罪となります。

盗聴と秘密の録音

盗聴は、当事者間の会話を第三者が無断で録音する行為です。秘密の録音は、当事者のどちらか（あるいは両者）が、録音することを相手に秘密にして録音する行為です。

このような録音行為は、マナーやエチケットにもとりますが、行為自体を罰する法律はありません。

3.27

リベンジポルノ

してはいけないし、されないように注意して！

リベンジポルノとは、相手の同意なしに、わいせつな画像や映像をネットにアップロードして誰もが見られるようにする行為です。多くの場合、別れた恨みから元カレ・元カノと共有していた性的な画像や映像を公開することです。

リベンジポルノは、被害者に精神的、社会的に深刻な影響を与えることが多くあります。このため、アメリカやイギリスなど西欧諸国や韓国などでもリベンジポルノに対しては刑罰が科せられます。

日本でもリベンジポルノは法的に禁止されています。また、ネットサービス会社に対して自身の画像などを削除させる権利も整備されています。

このように法的には禁止される行為ですが、いったんインターネットにデータが保存されると、完全に消し去ることが困難です。これをデジタルタトゥーといい、長期間、当事者が苦しむ場合もあります。プライベートなデータや情報を安易に他人と共有することは避けるようにしましょう。

コラム データが「魚拓」に残っているかも

SNSやブログのデータは、それぞれのサービスを提供している会社の使用するサーバーに保存されます。しかし、そのようなサーバーに永久にデータが保存されるわけではありません。使われなくなったアカウントのデータや、所定の期間が過ぎたデータは消去されるのが一般的です。

魚拓(WEB魚拓)と呼ばれるサービスは、デジタルタゥーのような、「どこかのサーバーにデータが保存されているかもしれない」というのとは異なり、Webのデータを意識的に保存します。つまり、残しておきたいWebページのデータだけを別のサーバーにコピーします。魚拓は、Webページ上の"証拠"を残すときなどに使用されています。

コラム 児童ポルノ製造

18歳未満の人の裸の写真を撮る行為は、「児童ポルノ法」(「児童買春、児童ポルノに係る行為等の規制及び処罰並びに児童の保護等に関する法律」)の「児童ポルノ製造」(同第7条第4項)によって罰せられます。SNSなどで知り合った未成年者に自撮りで裸の写真を送らせた場合なども該当します。

また、小中学校等の更衣室やトイレにスマホを隠し置き、裸の写真を撮影するなどした場合も「盗撮による製造」に当たります。

これらを行った場合、「3年以下の懲役または300万円以下の罰金」に処せられる可能性があります。

3.28

ネットリンチ

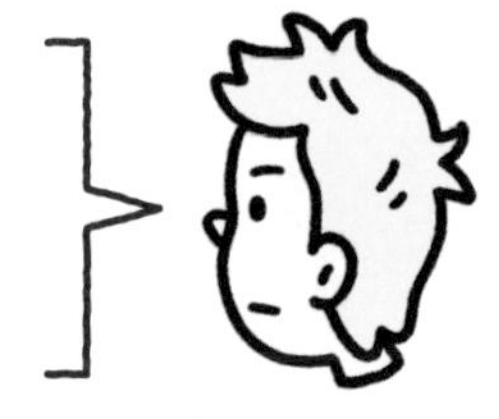

ネットなら何を言ってもいいというわけではない

ネットリンチは、特定の人物や集団に対して、誹謗中傷や不当な批判がネットを使って繰り返されることです。2020年、1人の女子レスラーが、ネットリンチが原因とされる自殺をとげました。

上記事件では侮辱罪が適用されましたが、同時に罰則強化が叫ばれました。この後、改正法が施行され、同罪は1年以下の懲役・禁固または30万円以下の罰金になりました。

実社会、ネット社会を問わず、実名で活動する人、あるいは有名人による言動がときに、ネット社会の匿名性によって守られている閲覧者からの、対等ではない攻撃的な反法に晒されることがあります。過去の言動を掘り出して誇大に扱ったり、訂正や謝罪に対して当事者でもないのに執拗(しつよう)に責めたりする人たちは、少数派なのに、ネット掲示板などでは多数派であるかのように映ることがあります。ネット上の意見や感想であっても、それが誰に対するものであっても、相手も感情を持った人だということを意識すると共に、自分の主張や言動の一般性や社会性を意識するようにしましょう。

3.29

デジタルタトゥー

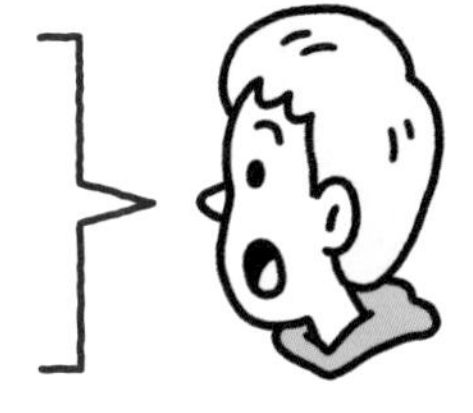

そのデータをアップして、本当に後悔しませんか

日本においては一般に、入れ墨（タトゥー）はネガティブなイメージを持たれています。皮膚に書き込まれたタトゥーは、簡単に消すことができません。

ネットに上がったコンテンツも簡単に消すことができないことから、本人が消したいと思ってもなかなか削除できないデジタルデータのことをデジタルタトゥーと呼びます。

インターネットでは、数多くのコンピューターが次々にデータを受け渡していく方式でデータ通信が行われます。また、サーバーコンピューター内では、複数の記憶ディスクにデータを複製しています。アクシデントに備えて、データのバックアップも行います。このため、1つのデータが様々な場所に保存されます。

さらに、公開された情報は、世界中から閲覧されたり、複製されたりします。このため、ネット上に拡散したデータは完全に削除することは難しいといわれているのです。

デジタルタトゥーは完全に解消することはできないため、ネット上で公開する前に「本当に公開してよいかどうか」をよく考えることが必要です。

便利技 家族のスマートフォンをパソコンで管理する

例えば、お父さんのパソコンで家族のスマートフォンのデータをバックアップしておきたい場合には、バックアップしておきたい家族のぶんだけ「新しいユーザー」を登録する必要があります。

Windowsパソコンの場合は、❶「設定」-「アカウント」-「家族とその他のユーザー」で新しいユーザーの登録ができます。

Macの場合は、「システム環境設定」で新しいユーザーの登録を行います。❶「アカウントの作成」画面が表示されたら、「アカウント名」に適当なアカウント名を入力したあと（ほかの人が使っている名前の場合は、再入力になる）、パスワード（忘れないようにメモしておきましょう）、フルネーム、パスワードのヒントなどを入力すると登録が完了します。

Windows

家族とその他のユーザー

家族

現在、Microsoft ファミリに接続できなかったため、このデバイスのファミリーは最新ではない可能性があります。

家族を追加すると、各自にサインインとデスクトップを割り当てることができます。適切な Web サイト、時間制限、アプリ、ゲームを設定して、お子様の安全を確保できます。

＋ 家族のメンバーを追加

詳細情報

他のユーザー

家族以外のユーザーが、各自のアカウントを使ってサインインすることを許可します。このようなユーザーは家族には追加されません。

＋ その他のユーザーをこの PC に追加

キオスク モードを設定する

割り当てられたアクセス
このデバイスをキオスク（デジタルサイネージ、対話型ディスプレイ、公共のブラウザーなど）として設定します。

❶ユーザーの登録

Mac

❶アカウント名、パスワードなどを設定する

第4章

メールやSNSのトラブル対処法

よく使うコミュニケーションツールなのに、使い方次第で関係を壊すことにも。また、詐欺や犯罪に使われることもあるのです。

4.1

ネット上のトラブルの相談先

緊急性があれば警察、困りごとは弁護士

ネット社会の様々なトラブルが自身のストレスになったり、実社会の日常生活や仕事に支障をきたすようになったり、ついには財産や生命をなくす危険が迫ってきたりした場合には、実社会で対処することになります。

事件性が既にあったり、その危険性が現実になったりしそうなら、迷わず警察に相談しましょう。ただし、現実に被害が明らかにならない間は、警察では対応できないことがあります。そのようなときは弁護士に相談しましょう。ネット案件を専門に扱う弁護士なら、ネット上で相談することもできます。

4.2

宛名間違いのメールの対処

詐欺メールを疑いましょう

知らない人から突然のメール。昔の友達？　会社関係？　疑問を感じながらメールを開いて読んでみると、どうやら儲け話を知人に教えるような内容。こんなメールを受信したら、あなたならどうしますか。親切心から送信者に「宛名が間違っていますよ」とメールしますか。それとも、儲けられるというサイトにアクセスしてみますか。

送信者に間違いメールだったということを返信したり、文面のリンクをクリックしたりするのは危険です。絶対、やめましょう。無視するのが一番です。

どうしても気になるなら、間違いメールの文面を検索してみましょう。まったく同じ文面のメールが不特定多数の人に送られていることを確認できるでしょう。

このような詐欺メールをシャットアウトするためには、メールソフトやメールサーバーの、迷惑メールをフィルタリングする機能を使うのがよいでしょう。ただし、それでもすり抜ける怪しいメールは必ずあります。上記のように、少しでも怪しいと思ったら、メールを開かないようにしましょう。

▼詐欺メールのメッセージ例

普段使われているものとは異なるデバイスから不審なログインがありました。24時間以内にこのメッセージを承認しない場合、アカウントは永久に無効になります。以下の確認ボタンをクリックして、アカウントにログインしてください。
更新に失敗しました。登録済みの電話番号の確認をお願いします。
○○さん、お久しぶりです。お元気ですか。高校の恩師であった、□□先生が昨日、ご逝去されました。告別式は明後日です。詳細をお知らせしたいので、このメールに返信してください。

コラム 巧妙な手口

突然、受信した宛先違いのメール。送信元は、なんと、誰もが知っている芸能人! 怪しい!?……と思っても中を見ちゃいますよね。

メールの内容を見ると、どうやら、昨夜、いっしょに飲んだとき、送信者(芸能人A)が言いすぎたことへの謝罪の言。さらに、その相手というのが、誰もが知っている有名人B! 文章は丁寧な記述で、日本語の乱れもない。このメール、本物だ! と舞い上がってしまいそうになるところ、ぐっと我慢して……。いやいや、間違っても私宛にメールが来るはずはない。無視しよう!

翌日、同じ芸能人Aから、さらにメールが届きます。文面は、返信がないということは、許してもらえないのですね、それほど気に障りましたか? と、さらに丁寧に非礼を詫びています。芸能人Aは、間違ってメールを送っていることを知らないのだ。どうしよう。悩んだ末に、メールに返信してしまいます。「私は有名人Bではありません。宛先を間違えていますよ」と。詐欺の初手に引っかかってしまいましたね。

便利技 特定のメールを受信しないようにしたい（受信拒否）

特定の相手から送られてくるメールだけを拒否することができます。

Androidでは、❶「Gmail」アプリをタップ➡❷受信拒否したい送信者のメールを表示して、メールの右上にある「⋮」ボタンをタップ➡❸「(送信者の名前) さんをブロック」をタップします。

iPhoneでは、❶「設定」アプリをタップ➡❷「メール」をタップ➡❸「受信拒否送信者オプション」をタップ➡「受信拒否送信者としてマーク」をオン（緑）➡❹「ゴミ箱に入れる」をタップして「レ」をつける（自動でメールがゴミ箱に移動）➡「設定」アプリを終了➡❺「メール」アプリを起動し、受信拒否したい送信者のメールを表示して、送信者の名前を2回タップ➡❻開いた画面の「この連絡先を受信拒否」をタップ➡❼「この連絡先を受信拒否」をタップ➡❽画面右上の「完了」をタップします。

Android

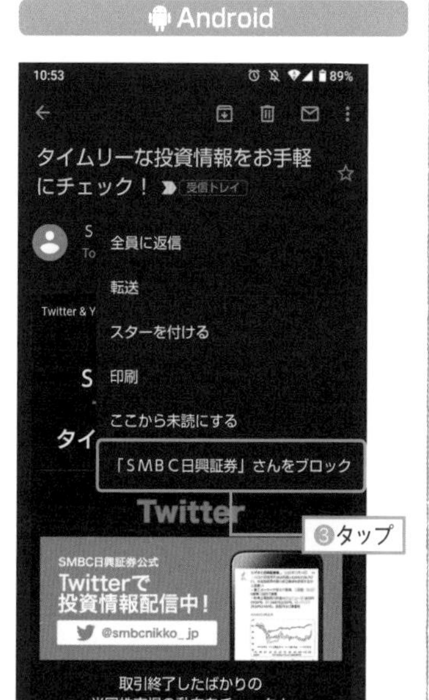

iPhone

4.3

詐欺のやり口

心の隙に忍び込む卑劣なやり口

いきなり異性からメールが来ると、警戒心も薄れてついついメールを開いてしまうこともあるでしょう。

Aさん（30歳代男性）に、同じ高校だった後輩からいきなりメールが届いた。在学中には憧れていて、SNSで偶然に顔写真を見たので、ついメールしてしまったということ。これにのぼせあがって返信し、メールでの付き合いが始まる。しかし、高校時代の話題を持ち出すと、相手はよく覚えていない、あまりよい思い出がないなど、のらりくらり。そのうち、出会い系の有料サイトやライブのエッチサイトに誘導されて、多額の利用料を支払わされた。

最初から、そのつもりの詐欺メールでした。

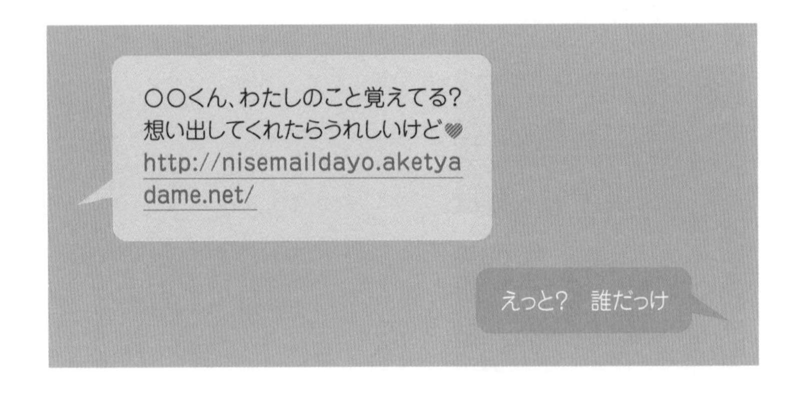

4.4

身に覚えのない添付ファイル

添付ファイルを開くのは慎重に

　取引先からのメール、差出人の名前には見覚えはないが、とにかく急いでいる様子。詳細は添付のファイルを見ろとあるので、添付ファイルを実行。何も起きないので、何かの間違いだったと自己解決。ところが、この添付ファイルにはコンピューターウイルスが仕込まれていて、会社中のコンピューターに感染。会社のコンピューターを乗っ取ったサイバー犯罪者は、取引先のデータベースにも侵入した。

6月請求書
今回、再度、請求書を添付させていただきます。お支払いの期日が迫っておりますので、迅速なご対応をよろしくお願いいたします。

　サイバー犯罪集団が下調べを綿密に行えば、取引先を騙（かた）ったメールを担当者に送ることもできます。担当者がうっかり、そこに添付されているファイルを開こうとしたとき、実行ファイルが作動して、表面上は何も起きていないようでも、犯罪者が作ったウイルスがコンピューターに感染します。

身に覚えのない添付ファイル

取引先からのメールに添付されているものであっても、添付ファイルを開くときは注意が必要です。添付ファイル付きのメールをいきなり受け取ったときは、すぐ開かず、相手にメールやチャット、電話などで確認しましょう。

スマホがウイルスに感染するおもなパターン

以下は、スマホユーザーがウイルス感染するおもなパターンです。

①不正なアプリのインストール

公式のアプリストア以外からアプリをダウンロードした場合、アプリにウイルスやマルウェアが含まれている場合があります。

②フィッシング攻撃

偽のウェブサイトや偽のメールに誘導され、ユーザーが詐欺サイトにアクセスし、個人情報やログイン情報を入力するように仕向けられる攻撃です。

③不正なメッセージやリンク

SMSやメッセンジャーアプリ、メールなどで送られてくるメッセージに書かれているリンクをクリックしたり、添付ファイルを開いたりすると、ウイルスに感染することがあります。

④不正な広告とクリック詐欺

スマートフォンアプリやウェブサイト内で表示される不正な広告によって、クリック詐欺に遭うことがあります。これらをクリックすることでウイルスがダウンロードされたり、不正な操作が行われたりすることがあります。

⑤無料のWi-Fiネットワークの利用による感染

無料のWi-Fiネットワークを利用することで、ユーザーのデバイスに不正なアクセスが行われ、ウイルスに感染することがあります。

Office添付ファイルを開いてしまったら

取引先を装ったメールが届き、そこに仕事関係の書類だというOfficeファイルが添付されています。うっかり、それを開いてしまったとします。

Officeのデータファイルの中には、あるプログラムの実行手順を書き込んだ「マクロファイル」という種類があります。インターネットを通して、データや重要な情報を盗んだり、悪意あるプログラム（パソコンのデータファイルを暗号化するプログラムなど）を忍び込ませたりための初手として、マクロファイルを実行させせることがあります。

マクロファイルを使ったサイバー犯罪が多く発生したことから、現在のOfficeアプリでは、マクロを実行しようとすると注意喚起のメッセージバーが表示されるようになっています。メールに添付されているOfficeファイルを開いても、このメッセージバーが表示されます。インターネットからダウンロードしたOfficeのマクロファイルを開くときには、メッセージバーの「コンテンツの有効化」ボタンをクリックするまでは、マクロは実行されません。

マクロファイルを実行してしまってから、メールの信憑性（しんぴょうせい）に疑問を抱いた場合は、すぐにそのコンピューターをネットワークから切り離します。具体的には、コンピューターに接続しているネットワークケーブルを引き抜くか、Wi-Fiを切断します。ネットワークから切り離せば、ネットワークを経由してほかのコンピューターがウイルス等に感染する危険性はなくなります。こうしておいて、コンピューターのアンチウイルスソフトを起動して、何か異変がないかを調べ、ウイルス等があれば駆除します。

それでも安心できないときには、セキュリティ専門の業者を呼んで、コンピューターやネットワークの安全性を調査してもらいましょう。

4.5

ウイルスに感染した旨のメール

人には見分けられないので、専用の対策ソフトを導入しましょう

「ウイルスに感染した」といった注意メッセージが表示されると、慌ててしまう人が多いようです。OSやウイルス対策ソフトからのメッセージの場合は、こういったメッセージが表示されたことで、大事に至らなかったと安心すべきです。後は、ウイルス対策ソフトのアドバイスに従って処置をします。ウイルス感染を知らせるようなメールは偽物です。反応しないで無視しましょう。

PCでのウイルスへの対策としては、OSの更新、ウイルス対策ソフトの導入をしておくようにしましょう。スマホやタブレットの場合も基本は同じです。

スマホやタブレットのウイルス対策ソフト

ご自身のセキュリティニーズに合わせて選択して利用してください。スマホやタブレット、パソコンなどのデバイスを保護するために定期的なスキャンとアップデートを実施しましょう。

●有料のおもなウイルス対策ソフト

①McAfee：Windows、macOS、Android、iOSなど、様々なプラットフォームで利用できるセキュリティソフトウェアです。

5,980円/年（台数無制限）

②Norton：ノートンセキュリティ、ノートン360などの製品を通じて、マルウェア、スパイウェア、フィッシング攻撃などから保護するセキュリティソフトウェアです。

2,800円/年

③Kaspersky：ウイルス、マルウェア、フィッシング、不正アクセスから保護するセキュリティソフトウェアです。

2,980円/年

※料金は2023年12月現在のものです。

4.6

SNS アカウントが乗っ取られたら

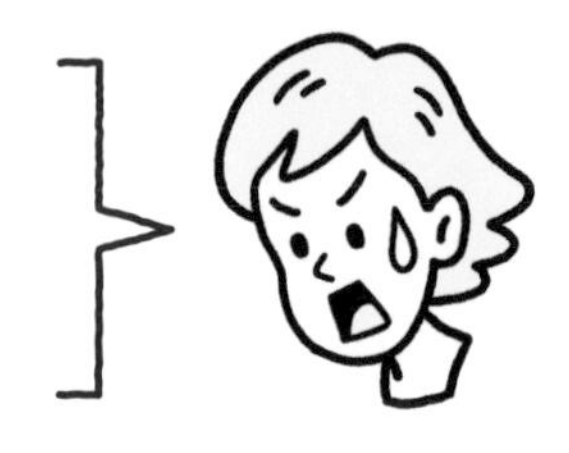

乗っ取られないように情報管理

SNSアカウントが乗っ取られても、SNSでつながっている人たちには、そのことがわかりません。突然、投稿のトーンが変わったとしても、「?」と思うだけです。中には信じてしまう人もいるでしょう。

アカウントが乗っ取られたら、サービスを提供している会社にそのことを報告して、偽アカウントを排除し、アカウントを回復してもらうしかありません。

アカウントの乗っ取りの防止策およびその他の注意として、次のようなものがあります。「アカウントを非公開にする」、「パスワードを適切な長さと複雑さにする」、「SNSサイトには家族や友人など近しい人たちの個人情報につながるデータやコンテンツは保存しない」、「復活用アカウントを用意しておき、メインのデータはこまめにバックアップしておく」など。

裏技 アカウントが「乗っ取られた」ときの対処法 X

広告アカウントやアプリでは、クリックしたときにツイートする権限の許可を求めてくるものがあります。うかつに許可してしまうと自分のアカウントを乗っ取られて、勝手にツイートをされてしまうことがあります。

誤って許可してしまったら、至急、許可を取り消しましょう。アプリ版からは操作できないため、ブラウザからXを開きます。アカウントをタップして「設定とプライバシー」から「アプリケーション」をタップすると、権限を許可しているアプリの一覧が表示されるので、見覚えのないものの「アクセス権を取り消す」をタップしたら完了です。念のため、パスワードも変更しておきましょう。

まず、❶「設定とサポート」から「設定とプライバシー」をタップ➡❷「アカウント」の「パスワードを変更する」をタップしたら、❸現在のパスワードと新しいパスワードを入力してパスワードを変更します。

Android／iPhone共通

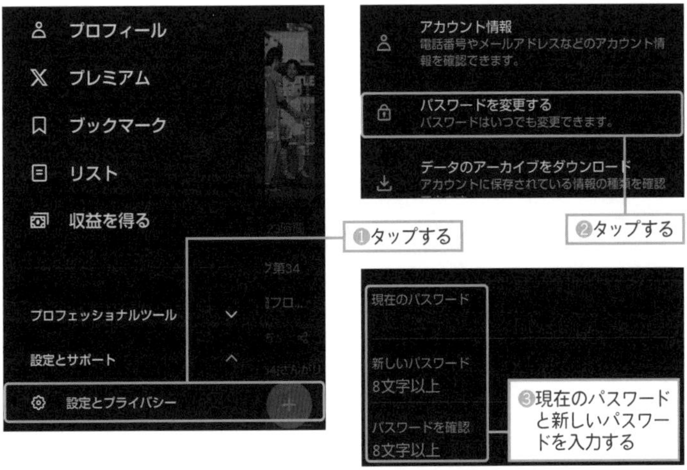

プロフィール
プレミアム
ブックマーク
リスト
収益を得る
プロフェッショナルツール
設定とサポート
設定とプライバシー

❶タップする

アカウント情報
電話番号やメールアドレスなどのアカウント情報を確認できます。
パスワードを変更する
パスワードはいつでも変更できます。
データのアーカイブをダウンロード
アカウントに保存されている情報の種類を確認

❷タップする

現在のパスワード
新しいパスワード
8文字以上
パスワードを確認
8文字以上

❸現在のパスワードと新しいパスワードを入力する

4.7

迷惑メールがたくさん来る

メールソフトの機能で自動的に捨てましょう

迷惑メールには、受信しても決して開くことはないと思うメールがあります。受信するメールの90%以上はこの種の迷惑メールだという人も多いようです。この種の迷惑メールには、以前にネットショッピングの決済時にネットモールやショップからの送信や関連のメールマガジン（メルマガ）を承諾したために送られてくるものが多くあります。つまり、迷惑メール大量受信の原因は自分自身だった、ということです。

この種のメールの発信をやめてもらいたい場合は、発信元に発信を停止するようメールするか、Webページから配信停止の操作を行います。どちらにしても手間がかかります。

受信しても開くことがないメールは、メールソフトの分類機能を使って自動的に「受信トレイ」以外のフォルダーに移動させることで、受信トレイがすっきりします。その後、時間のあるときに、迷惑メールの移動用フォルダーの中を確認し、まとめて削除します。

4.8

身に覚えのない請求書

無視します

請求書がメールで届いた場合、それが自分（家族の場合もあります）の買った商品やサービスのものかどうかを思い出してみましょう。身に覚えがない場合には、メールに書かれているリンクをすぐにクリックしてはいけません。自分がよく利用するショッピングモールの場合には、購入履歴を確認することができます。キャッシュカードを使用している場合は、キャッシュカード会社に連絡して確認しましょう。

身に覚えのないメールでの請求書には、文章に日本語として奇妙な表現があったり、いつ購入したどのような商品だったかなどの記述が書かれていなかったり、「？」と思う部分があります。「すぐに支払わない場合には、○○」といった脅迫的な文言が入ることもあります。このような場合には、偽メールであることを疑うようにしましょう。怪しいな、と思ったら無視しましょう。

4.9

偽アカウントとは

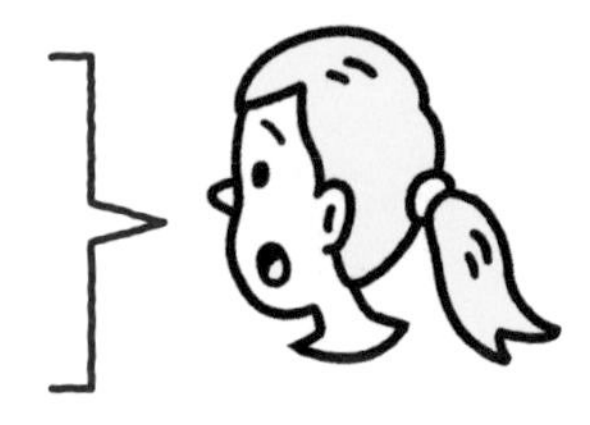

デザインだけでは偽サイトを見分けられない

偽アカウントとは、本物のSNSやブログを騙った偽物のインターネット上のアカウントです。有名なショッピングモールやショップの偽アカウントを使用したSNSでは、本物と間違えて訪れる閲覧者を偽ショッピングサイトに誘導し、最終的に個人情報（住所、氏名、キャッシュカード番号やパスワードなど）を詐取することを目的としています。

偽アカウントのリンクが偽物か本物かを確かめるには、Googleなどの検索サービスを使って調べるという方法もあります。しかし、偽物であっても検索結果の上位に表示されることもあるため、これを不用意に信用するのは危険です。商品の偽ブランドと同じように、Webサイトのurlには本物とよく似たものが使われることがあります。偽サイトを見破るためには、URLが実物と同じかどうかを確認しましょう。しかし、まだ完璧ではありません。偽サイトを見破るポイントについては、「6.12　偽ショッピングサイトに騙されないために」を参照してください。

4.10

写真を拡散すると脅された

脅しに屈してはいけない、すぐに専門家に相談

個人が特定できるような自分の写真を拡散するという旨の通知が来て、それを阻止したいと思ったのなら、その通知は脅しと考えることができます。実際に拡散されては困るような写真を相手が所持していないことが確実なら、無視しましょう。しかし、持っているかもしれないなら、ネット上への写真の公開を承諾しないことを強く伝えましょう。これで相手が写真の拡散をやめるとは思えなくても、時間をかせぐことができます。その間にネット訴訟に詳しい弁護士に相談しましょう。なお、警察は実際に写真が公開されない間、つまり被害がない間は動きません。

昔、付き合っていた異性などが脅迫している（これをセクストーションといいます）場合には、相手の居住場所等がわかっていることも多いので、弁護士からの忠告で写真の公開を阻止できる可能性が高まります。相手の所在がわからないときにも、通知された返信手段を使って「拡散された場合は法的処置をする」旨を通知し、公開を阻止します。

4.11

SNSの友達申請について

無理強いしない

会社の同僚や部下に、立場を利用してSNSの友達申請を無理強いしてはいけません。社内だけの同僚や仲間関係であっても、SNSの友達申請が送られてきたら億劫(おっくう)な場合があります。職場の上司や年上だった場合はなおさらです。しかし、実際には嫌でも申請を拒否するのは難しいこともあるでしょう。

会社等では、SNSで作成したグループ等への参加を一時的に強いることはあります。おもに連絡や情報共有の手段として、多人数でメッセージなどを共有できるからです。このようなグループのメッセージは、メンバー全員が見られるので、プライベートな内容ではないことが前提です。

4.12

SNSで悪口を言われている

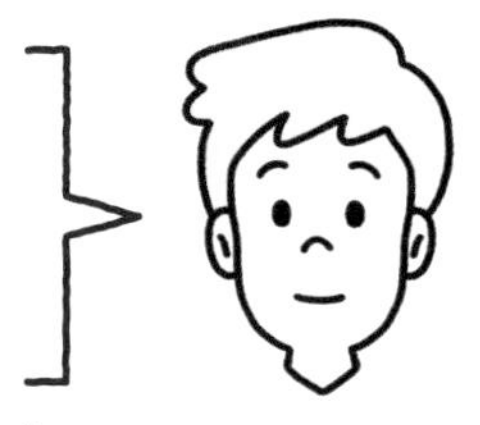

名誉毀損なら毅然(きぜん)とした態度で対応しましょう

個人が名誉毀損の被害に遭ったら、その加害者に対して慰謝料を請求することができます。さらに、謝罪広告を掲載するなどの名誉回復処置を要求することもできます。

会社やショップが事実無根の陰口で被害を受ける場合には、偽計業務妨害に当たる場合があります。

メモ 名誉毀損の要件

名誉毀損の法的処置を検討する際には、法律における名誉毀損の要件を理解することが重要です。名誉毀損の訴訟は証拠の収集や法的プロセスが複雑です。一般に以下のような内容を満たす場合、名誉毀損として検討することができます。

- 誹謗中傷の内容として、虚偽または誤解を招くもので、被害者の名誉や評判を害するものである必要がある
- 誹謗中傷は、通常第三者(公衆)に公開された場合に成立するもので、プライベートな対話や秘密のコミュニケーションでは該当しない
- 被害者の名誉や評判が実際に害されたこと(精神的苦痛や社会的影響を含む)を証明する必要がある(名誉の害)

4.13

知らない人からの友達申請

基本的には無視で大丈夫

知らない人から友達申請があっても、すぐには承諾しないようにしましょう。小中学校が同窓だったとか、仕事上の付き合いがあったとかであっても、しばらくは無視していても大丈夫です。

友達申請した人のページでプロフィールを確認したり、最近の投稿の内容を見たりして、偽アカウントではないことを確認しましょう。偽アカウントなら、申請拒否にしましょう。数日間、思い出してみても思い当たらない場合も、無視したままにしておきましょう。本物の知人なら、共通の情報をつけて再び申請してくるでしょう。

4.14

その写真、載せて大丈夫？

個人情報につながる写真は公開しない

SNSやブログに写真を載せるときには、3つの注意が必要です。

1つは「秘匿したい個人情報につながる情報は避ける」です。顔出しはよいとしても、住所や通勤経路が特定できる情報が写り込まないようにしましょう。ピンナップ写真の後ろに近所の商店の看板が写り込むと、住所が特定できる場合があります。

2つ目は「写真の著作権や肖像権など、写真の権利者からの承諾を得ているか」ということです。

最後は「公序良俗に違反しない、など規約に違反していないかどうか」です。SNSやブログサイトの規約に違反するような写真は掲載できません。また、自前のブログであっても一般的な公序良俗の規範に照らして行きすぎていたり、他人をひどく貶(おとし)めたりする写真の掲載は考えものです。

コラム 著作権違反の罰則

著作権に違反した場合は、10年以下の懲役または1000万円以下の罰金です。肖像権侵害に関する罰則はありません。ただし、民事上の責任は別に問われることがあります。

4.15

素人の顔出し投稿

安易な顔出し投稿は控えましょう

SNSで本人名で活動する場合、基本は顔出し投稿をすることになります。内容にもよりますが、一般には顔出しすることで閲覧者の信頼が高まるためです。

他人のブログやSNSに投稿するときに、投稿者として顔出し（顔写真付き）で投稿するのは、自分のブログやSNSに他の閲覧者を誘導することを意図します。インターネットを使って自分のことを宣伝する必要がないのなら、顔出し投稿は控えた方がよいでしょう。

4.16

有名人からのメッセージ、どうする？

疑ってかかることを基本に、冷静に対応する

タレントやスポーツ選手、文化人、政治家などの有名人からのメッセージが突然届いたら、多くの人は驚きと戸惑いを感じるのではないでしょうか。まずは、そのメッセージの内容をよく読んでみましょう。内容が宣伝や勧誘であれば、無視しましょう。

有名人に限らず、他人に初めてアポイントをとるときには、一般的なマナーとしては、郵便（手紙）あるいは電話をします。いきなりメッセージやSNSでは、相手は失礼と思うかもしれません。

裏技 有名人のアカウントが本物かどうか見分ける Instagram

アカウントは誰でも作れるため、有名人になりすますアカウントも少なくありません。アカウントの後ろについている認証バッジは、Instagramが本人と確認した証（あかし）です。

Android／iPhone共通

※有名人の本人のアカウントでも、認証バッジがついていないものもあります。

4.17

ネット掲載する写真を撮影するとき

撮影と掲載の承諾を確認する

有名人や政治家でも、公（おおやけ）と私（わたくし）の区別があります。駅で出会った芸能人の写真をSNSにアップするのはよいでしょうが、自宅近くの食堂で家族と食事中の芸能人の写真を撮るのはエチケット違反といえるでしょう。

ましてや生活全般がプライベートな一般の人を、私人として撮影および投稿する場合は、写真撮影とネット掲載の承諾を得るようにしましょう。これは、肖像権が人格権の1つとして認められ、基本的人権であるためです。

公共の利益になる事件や事故のスクープ写真をオールドメディア（テレビや新聞、雑誌など）に提供するのは、この限りではありません。あくまでも私人と私人の間のことと考えておきましょう。

4.18

個人情報がわかる書き込みとは

旅行中の書き込みの危険性

個人情報は、単独では個人を特定できないとしても、組み合わせることで個人を特定できる可能性があります。例えば、名前と出身校、卒業年がわかれば、個人がほぼ特定できます。この場合、これらの情報が個人情報となります。

家族旅行の計画中や旅行中に、その内容や様子をSNSなどで公開するのは危険です。つまり、その間、自宅には誰もいないことを公表しているのと同じだからです。

インスタグラムなどの写真を載せるSNSも同様です。写真から漏れる情報が多くあります。住所や仕事内容、家族構成、資産の額、年収なども推定されます。

SNSやブログの書き込みなどネット上の様々な情報の断片があり、さらに実社会の地域や組織の情報を知っていることで、それらが結び付いて個人が特定されることもあります。住所がわかり、その家人たちの行動スケジュールがわかれば、そこに侵入しようとする者は大喜びに違いありません。

写真のプロパティに記録される情報を削除する

デジタル写真には、画像といっしょに様々な情報が記録されます。例えば、撮影した日付、機器、撮影データ（絞り値、露出時間、ISOなど）です。スマホのカメラで撮った写真の場合は、これらのほかに撮影した位置情報（緯度、経度、高度）が記録されます。家の中で撮った写真なら、家の正確な位置が記録されます。

スマホで写真にこのような位置情報を保存しないようにするには、「位置情報の共有」をオフにして写真を撮るようにします。

位置情報が保存された写真から、撮影に関する様々な情報（位置情報を含む）を削除するには、コンピューターで写真のプロパティを開き、個人情報を削除します。

Windowsの場合は、写真のプロパティの「詳細」タブで「プロパティや個人情報を削除」を実行します。Macの場合は、写真を開いて「i」（インフォメーション）を開き、位置情報などを削除します。

4.19

チェーンメールやLINEバトンは回す？

チェーンメールは無視

チェーンメールは、何かの“お題”への返答を幾人かの知り合いにメールで送る遊びです。例えば、「このメールを受け取った人は10人に同じ内容のメールを送ってください。そうしないと、あなたに不幸が訪れます」といった文面のメールを送信します。すると、同様のメールが指数的に増えます。

LINEのタイムラインを使うバトンは、基本的には1名の友達にアンケート形式のメッセージを送信します。例えば、「■好きな異性のタイプは？➡、■どんな人と付き合った？➡、■どこにデートに行った？➡」といったメッセージを次々に回していきます。

チェーンメールは無視しましょう。バトンは基本的に1人が次の1人に送るものです。しかし、アンケートの内容によっては個人情報を安易に他人に教えてしまうことになります。また、バトンを渡された友人から嫌がられることもあります。できるだけ無視した方がよいでしょう。

4.20

ストーカーメールへの対処法

できるだけ速やかに警察に相談しましょう

何度も拒否しているのに、特定の個人（ほとんどは異性）からしつこく送られてくる、交際を求めるメールやLINEは、ストーカーメールです。

相手が既にストーカー化している場合、ストーカーメールなどを無視して放置するだけでは危険です。

帰宅したときにメールやLINEで「おかえりなさい」が届いたなら、一刻の猶予もありません。安全な場所に身を移し、ストーカー対応機関・組織に連絡してください。

4.21

フィッシング詐欺に引っかからないために

少しでも疑問のあるメールは無視

フィッシング詐欺は、メールやメッセージから偽のWebサイトに誘導し、そこで個人情報を盗んだり、キャッシュカード情報や口座情報を盗み出したりするものです。

フィッシング詐欺を見破るには、次のリストをチェックします。なお、怪しいと思ったときは、絶対にメールやメッセージのリンクをクリック（タップ）してはいけません。

▼フィッシング詐欺が疑われるメールの特徴

- □ 送信元の企業・組織・個人のことを知らない？
- □ 送信元の住所、電話番号、担当者名などの記述がない
- □ 緊急性や強迫性を感じる文面
- □ 身に覚えがないのに「当選した」等の表記がある
- □ （送信元のWebページを別途開いてみて）同様の情報がない
- □ リンクのURLが怪しい！
- □ 文面におかしな日本語が使われている

以上に1つでもチェックが入る場合、フィッシング詐欺を疑い、無視するか、ネット以外の手段（電話など）で確認しましょう。

4.22

アイコラを見つけたら

拡散しないように

アイコラ（アイドル・コラージュ）は、ヌード写真にアイドルの顔をはめ込んだ合成写真です。同様に動画にしたもの（おもに人工知能により生成したもの）をディープフェイクといいます。

アイドルに限らず一般の人がこのような被害に遭った場合でも、作成に関係した人は、名誉毀損罪、さらには著作権侵害を問われることもあります。

アイコラ写真やディープフェイクによる動画を見つけた場合は、被害者や著作権者に連絡してあげてはいかがでしょう。そして、絶対に知り合いに拡散しないようにしましょう。

コラム リベンジポルノへの罰則

リベンジポルノへは、「私事性的画像記録の提供等による被害の防止に関する法律」が適用されます。この法律では、プライベートな性的画像を不特定多数に拡散したり、拡散目的で第三者に提供したりする行為が罰せられます。違反すると、3年以下の懲役または50万円以下の罰金が科せられます。

4.23

ネットでできた恋人

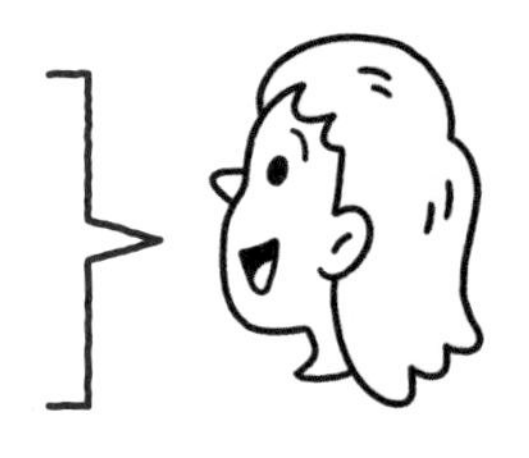

勝手な理想を投影しない

いまではネットが出会いの場になることも普通にあります。ネットで知り合い、メールやチャットで親密な付き合いを続け、ついに実際に会ってデートします。

ところが、ネットの出会いがハッピーエンドにならないことも多くあります。ネットの人格と実際の人格が異なることが多く、実際に会ったときに失望するパターンです。多くは相手に対して勝手な理想を描いていたことが原因ですが、ネットでの付き合いで嘘をついていたのは論外です。年齢や仕事の内容、趣味や家族のことなど、付き合いを深めるのに重要な情報が嘘だった場合は、誠実さの面で×が付きます。

成人のはずの相手が実際には未成年者だったときは、条例違反のほか、誘拐罪に問われる恐れもあります。

4.24

暗号資産を使った詐欺

うまい儲け話には乗らない

暗号資産を使った詐欺に遭ったAさんの話です。Aさん、株投資や金資産積み立てなど、資産運用の経験はありましたが、暗号資産運用は未経験でした。そこに、SNSで知り合ったBさんから、暗号資産投資を勧められました。はじめは渋っていたAさんでしたが、余剰の資金があったので、その中から数万円をBさんの言うように海外の投資サイトに投資してみた結果、簡単に暗号資産の価格が上がって儲かりました。この海外の投資サイト自体が偽サイトだったのです。もちろん、暗号資産の価値が上がったと見せられていたグラフや数字も偽物でした。

Aさんは、この後、数百万円を暗号資産に投資しましたが、その後、海外サイトへはアクセスできなくなり、Bさんにも連絡がとれなくなりました。もちろん、投資した資金も戻りませんでした。うまい儲け話を安易に信用しないようにしましょう。

4.25

電話番号を教えてほしいと言われたとき

個人の電話番号は教えない

ビジネスの場において、「あなたのスマホの番号を教えてくれ」とか「SNSで友達になってほしい」というのは、たとえお得意様であっても軽はずみに承諾しないようにしましょう。社内のほかの人の電話番号を教えてほしいと言われたときにも、基本的にNOと答えます。

名刺にスマホの番号が印刷されていないのなら、自分のものであれ同僚のものであれ、簡単に教えるべきではありません。仕事の上でスマホでの連絡が頻発するとか、社外の人たちとSNSのグループを作って情報共有することになっているとか、スマホが仕事の重要な連絡ツールになっているといった場合には、もちろん電話番号を共有しなければなりません。しかし、それほどでもない場合にスマホの番号を知らせてよいかどうかは、会社や上司に訊いてから判断しましょう。

「緊急に○○さんと連絡がとりたいから番号を教えてほしい」と言われた場合は、「私から本人のスマホに連絡をとりまして、直接お電話を差し上げるようにお伝えいたします」と言って、いったん電話を切るようにしましょう。

チャットでの会話には注意！

　文字によるコミュニケーションは、難しいですね。手書き文字の手紙なら、上下の文章の流れで文意を察するのも可能です。また、手書きなら文字の書き方や筆圧から、本意や感情が伝わることもあるでしょう。その反対で、短い単語や文を話し言葉のようにしたメールやSNSは、とんでもない間違いを生むこともあります。

　例えば、以下のようなチャットで、誤解が生まれます。

　「C子、上手くない」が問題の箇所です。

　「C子、上手くない？⤴」とC子のことを褒めたつもりが、相手には「C子、上手くない？⤵」と、けなしたように受け取られたようです。

　日常、対面でしている言葉や表情、ジェスチャーによるコミュニケーションを、その調子で、チャットやメールによる文字を主体としたコミュニケーションに移すと、上の例のように意図したことと反対の意味にとられることもあり得ます。

▼誤解されるチャットの例

昨日、C子とカラオケ行った

C子、歌うの好きだよね
マイク離さないし

私も聴かされたことある
C子、上手くない

ン?　何言ってん!
あんたより上手いけど

第5章

11歳からのスマホのマナー

子供でもスマホを持てば、大人と同じで、簡単にネット社会とつながります。大人がちゃんと教えなければいけません。

5.1

SNSが原因で子供が被害者に

実際に会って被害者になることも

スマホを持った子供のコミュニケーション世界では、それまでのリアルな交友範囲をはるかに超えて、制限がなければ親が知らない相手とも簡単につながってしまいます。リアルな学校や家庭で起きているつらいことをつぶやいたときにも、一つひとつにコメントを寄せて親身になってくれる人がいたり、同じような体験や境遇の幅広い年齢の人たちからメッセージが寄せられたりすることもあります。中には、そのようなメッセージを送ってくれる人のことを"優しい人"と感じて、寂しいときやつらいときに実際に会ってもっと話を聞いてほしいと思う子供もいます(SNSに起因する被害に遭った子供の約20%)。このようなメッセージのやり取りは、本人が秘密にしようと思えば、誰にも知られずに進んでしまうことも多く、事件が起きてから発覚することも少なくありません。

SNSで知り合った相手と実際に会った子供たちの中には、重大な犯罪の被害者になる子供もいます。警察庁によると(令和4年警察白書)、SNSが原因で重要犯罪等に巻き込まれた被害児童数は増加傾向にあります。特に近年増加しているのが、SNSで知り合った相手に直接会いに行った後に連絡がとれなくなる「略取・誘拐」です。

▼SNSが原因の重要犯罪等の被害児童数の推移

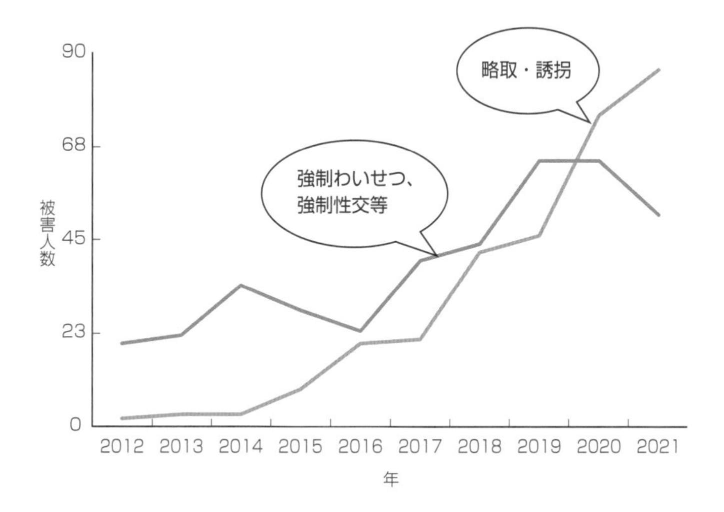

5.2

うちの子にスマホは必要か？

スマホは、携帯可能で通信機能を備えた小型のコンピューターですから、通信機能を使わないのなら、簡単に操作できる小型のコンピューター（タブレット等）で十分です。デジタル社会に生きていく子供たちにコンピューターを適切な時期に与える必要性はわかるとしても、通信機能が小さな子供に必要かどうか検討することになるのでしょう。

何歳から与えるのがよいか

通信機能が必要になるシチュエーションとしては、子供が学校や塾へ行くようになり、親とのコミュニケーションをとる必要がある場合などが考えられます。子供同士のコミュニケーションにスマホが必要になる場合もあるでしょうが、地域や性別、その子の性格などによってその年齢は大きく異なります。小学校低学年で持っている子もいれば、高等学校入学時に初めて買ってもらった子もいます。

子供のときのおもちゃとは異なり、いったん子供に与えたスマホを取り上げることは困難です。子供にスマホを与える時期は、家族で相談して慎重に判断するようにしましょう。

5.3

ジョブズ親テスト

スティーブ・ジョブズのように、自分の子供にIT機器所持管理ができるかを調べるテスト

スマホを子供に持たせる時期をできるだけ遅らせ、リアルな教材や環境による教育を推進することを目指して研究・実践を行っている「スマホ依存防止学会」は、スマホをわが子に持たせたくない親としての意識を測るテスト（ジョブズ親テスト）をホームページで公表しています。

ジョブズ親テストは18項目あり、それぞれに「そう思う」「ややそう思う」「そう思わない」で答えます。項目には、「ゲームは好きなだけやらせればそのうち飽きる」「車にも便利さと危険があるように、スマホもひとつのツールであり、要は使い方の問題である」などがあります。

「スマホ依存防止学会」のホームページより

5.4

子供にスマホを使わせるにあたって

まずは使用目的をよく話し合ってから

子供にスマホを与えるとき、親は子供に使用法に関して大切なことを教え、さらに親子で話し合い、子供に納得させた上で、子供が安全に使用できるように、また親も安心して使わせられるように、適切な設定を行わなければなりません。

スマホの使用に関して子供とする約束としては、使用目的、使用時間です。使用目的については、子供が使えるアプリを制限しましょう。また、使用を許可したアプリであっても、その使い方を話し合っておきましょう。使用時間については、「就寝時間の2時間程度前にはスマホの電源を切って、所定の場所に置く」などを約束させるとよいでしょう。

スマホキャリアが提供する子供用のフィルタリングサービスを利用するのもよいでしょう。例えば、「あんしんフィルター for docomo」(無料)では、走行中のスマホ使用や新規アプリのインストールが禁止され、ゲームの起動時間が制限されます。

スマホ本体にも子供の使用を制限する機能があります。Androidと iPhone では、呼び名や設定方法はそれぞれ異なりますが、ほぼ同様の機能があります。

このほか、マナーやエチケットについては、その都度、親が見本を見せるようにすると自然に身につきます。

▼スマホのフィルター例

Android	iPhone
ファミリーリンク	スクリーンタイム
Google 検索のフィルター Google でのアクティビティの設定 Google Play での使用制限 Chrome でのウェブサイトの制限 利用時間の制限 GPS 対応デバイスの位置情報 アプリのアクティビティ アプリのブロックとアプリの権限	休止時間と App 使用時間の制限 Web サイトの閲覧状況 通信や通話の制限 コンテンツとプライバシーの制限 スクリーンタイム・パスコード

5.5

子供に1日何時間まで スマホに触らせるか

IT機器全部で2時間以内

子供にスマホなどのIT機器を1日どれくらいの時間触れさせてもよいのか、いくつかの研究結果が発表されています。

日本小児医会が公表しているのは、目安として1日2時間以内です。ただし、この2時間はスマホだけではなくテレビやタブレット、PCそしてゲーム機も含みます。

中学生では、スマホの使用時間を1時間未満にして、勉強は2時間以上するとテストの得点が最も高くなったという研究もあります(仙台市教育委員会)。

子供に1日どれくらいの時間、スマホやゲーム機などにさわらせるかは子供の年齢や個人差もあります。子供が家にいる時間をどのように使うのがよいか、親子で話し合ってルール化するのがよいでしょう。また、親の目が届きにくい場合は、スマホやPCにある使用時間を制限する機能を利用するのもよいでしょう(本文p261、p310参照)。

便利技 YouTubeなどの再生を自動停止する（タイマー機能）

YouTubeなどでの音楽や動画の再生を自動停止させるには、タイマー機能を使います。

Androidでは無料アプリの「Sleep Timer」を、iPhoneでは「時計」アプリを使います。

Androidでは、❶「Sleep Timer」を起動➡❷画面右上のメニュー⋮をタップ➡❸設定メニューの画面で「タイマーの終了」をタップ➡❹「アクションを実行します」をタップ➡❺「画面をオフにする」をチェックし、「停止を送信」をチェック➡❻「Sleep Timer」のホーム画面に戻り、画面中央をタップしてタイマーの時間を設定➡❼画面下の「スタート」をタップすると、設定した時間が経過した後、スマートフォンがスリープになります。

iPhoneでは、❶「時計」アプリを起動➡❷タイマーのタブをタップ➡❸タイマー終了時をタップ➡❹「再生停止」にチェックを入れて終了する時間を設定➡❺「開始」をタップします。

Android

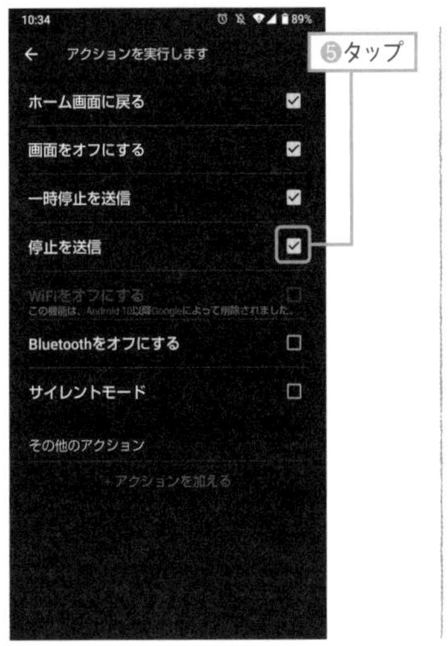

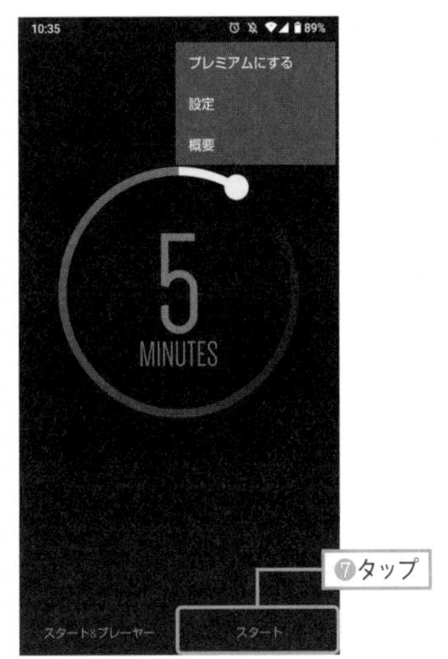

5.6

電子スクリーン症候群

IT機器の使いすぎは禁物

電子スクリーン症候群（ESS）とは、長時間にわたってスマホなどのIT機器を使用すること（スクリーンタイム）によって引き起こされる症状です。

ESSの初期症状としては、体には目の疲労や目のかすみ、頭痛、肩こり、手や指の痛みなどが現れます。そして、心に対しても、慢性的なイライラ感や不安感、抑うつ症状などが現れることもあります。

電子スクリーン症候群の治療

米国の精神科医、ビクトリア・ダンクレーは、デジタル機器中毒の人々を治療する方法として、電子機器を完全に断つプログラムを開発・実践しています。ダンクレー氏によると、デジタル機器は中毒性のあるドラッグと同じで、電子スクリーン症候群の子供たちの脳をリセットするには、3～4週間程度のデジタル機器からの完全な遮断が必要とのことです。

5.7

スマホ使用時の目への影響

目への負担は読書時より大きい

スマホを見るときの画面との平均的な距離は20cm程度です。この距離は読書時の30cmに比べて近く、スマホ画面にピントを合わせるために目は読書時よりも疲労します。また、近距離での使用は近視を加速しやすくなります。

日本では、学童の近視の増加が問題となっています。子供たちの近視化を予防するには、スマホの使用時に画面との距離を30cm程度離して見るようにし、使用時には適度な休憩をはさむこと、戸外の活動時間を増やすことなどが推奨されます。

子供のスマホスケジュール

スマホに関するルール作りについて、子供たちはどう考えているのでしょう。GPSでどこにいても見張られていて自由がないばかりか、頭ごなしにスマホの使用規則を押し付けられては、子供たちは、自分は親に信用されていないのだとか、ずっと親に監視されているようで息が詰まりそうだ、という印象を持つのも当然といえるでしょう。

子供にスマホを使わせる親として、心配なことはいくつかあります。それらの対応策としては、本書にもあるように、(子供の年齢や性格によって一概には決められませんが)、フィルタリングや使用時間の制限は有効な方法です。しかし、中学生くらいでは、逆に「フィルターアプリ」の使用をいやがったり、使用時間の制限などに反抗したりすることもあるでしょう。

子供も、スマホの使いすぎがよくないことはわかっています。そこで、スマホを使い始めて数カ月経ったころ、子供といっしょにスマホの使い方についてチェックします。スマホの使用時間や時間帯、使用内容等、依存的にスマホを使用していないか。学校の宿題等がおろそかになっていたり、生活習慣が乱れたりしていないか。好ましい使い方ではなかった場合は、次のようにして、使い方を親子でいっしょに正しい方向にしましょう。

・子供に、スマホを使っている時間と内容を1週間記録させる。
・親子で、スマホの使用を含めた曜日ごとの1日のスケジュールを立てる。
・家族皆が結果を一覧できる場所にスケジュール表を貼る。
・スケジュール通りにできたときはシールを貼る(スタンプを押す)。
・シール(スタンプ)はご褒美と交換できるようにする。

このスケジュール表を作るときのコツは、あまり厳密に時間で区切るスケジュールを作らないことです。また、時間で区切るよりもコンテンツで区切る方が、子供の生活にとって自然です。例えば、「夜7時から8時まではSNS」「YouTubeは夜9時半まで」といった感じに。

 スマホの時間で何を失うか

日本医師会と日本小児科医会では、子供たち（おおむね小学校高学年から中学校1、2年生程度）とその父兄に向け、「スマホの時間 わたしは何を失うか」という啓発ポスターを作っています。

この中で、スマホの過度な使用は様々なものを喪失させる、と言っています。

・睡眠時間を失う（夜寝る前に使うことで睡眠不足になる）
・学力を失う（スマホを使う時間が長いほどテストの正答率が下がる）
・脳機能を失う（長時間使うと、脳の発達が遅れる）
・体力を失う（体を動かす時間が減るので体力が減る）
・視力が落ちる（視力の維持に有効な外遊びの時間が減る）
・コミュニケーション能力が育たない（人と直接話す時間が減る）

◀日本小児科医科のポスター

スマホ利用に関する啓発ポスターだが、内容に関しては賛否が分かれている。

5.8

セルフコントロール力とスマホ

スマホ使用に対する自制力

子供にスマホを使わせるとき、親はスマホの使い方を説明しながら使用制限などのルールを作ることができます。しかし、そのようにして決めたルールを守るかどうかは、子供のセルフコントロール力（自己制御力）にかかっています。セルフコントロール力を身につけているか、身につけられるかどうは年齢によって異なります。また個人差もあります。初めてスマホを使用させるにあたっては、様々な危険性を知らせ、スマホのマナーやエチケットを身につけさせる働きかけが必要です。特に子供には、情報社会の基本リテラシーであることを踏まえ、年齢に合った適切なテキストや教材を用意し、親がいっしょに読むなどして意識づけるとよいでしょう。

子供向けのスマホのリテラシーが解説されている。

◀文部科学省の啓発リーフレット

5.9

スマホ依存とスマホ脳

スマホ依存は脳にも悪影響を与える

脳科学の研究によると、「依存性」脳では、ドーパミン神経の機能低下、前頭葉（前頭前野）の機能低下、依存対象への過敏化神経回路の3つが観察されるようです。この依存性は、アルコールや薬物、ゲームのほか、スマホを対象としても起こります。

神経伝達物質のドーパミンは脳を興奮させて、やる気を起こさせます。スマホの刺激を繰り返し受けていると、スマホをいじっている間中、ドーパミンが出続けるため、スマホ以外の刺激に対して楽しめなくなります。

前頭前野は、人間が他の動物にはできない人間的な活動をするために重要な場所です。この前頭前野の活動は、人が人と対面で会話したり、実際に集団で作業したりするときに活発に働きます。しかし、人との会話であっても、電話やチャット、ビデオチャット等では前頭前野の働きは低下することが知られています。

脳への強い刺激が繰り返されると、刺激に対して決まった反応が起こりやすくなります。これは、脳に特定の神経回路ができたことを示します。いったん、依存している刺激が起こると、容易にこの神経回路が活性化します。そして、この神経回路の活性化は、簡単には止められなくなります。

依存化した脳は、他の依存症と同じように、スマホ断ちのようなプログラムを受けて回復を図ることになります。依存症は、大人でも回復が難しいことがわかっています。子供であればなおさらです。

コラム IT起業家たちの教育方針

ビル・ゲイツやスティーブ・ジョブズをはじめ、アメリカのIT起業家たちの多くは、自分の子供たちがIT機器を使うことを制限してきました。小さな子供にスマホなどのデジタル機器を与えることが、教育的にあまりよいことではないと考えたようです。ビル・ゲイツが子供に携帯電話を与えたのは14歳から、スティーブ・ジョブズは家で子供がIT機器に触れる時間を制限していました。

彼らは、自分たちが作り出したIT機器が、人間をどれだけ魅了するかを最もよく知っていました。感受性が強い一方、自制心が弱く自己管理能力の低い子供たちには危険だということに気づいていたのかもしれません。

または、「人が重要なことを学ぶには順番がある」ことを身をもって知った彼らは、自分の子供に対し、脳や精神の年齢に応じて、そのときに必要な教具をタイミングよく与え、理想とする人格や能力を順序正しく身につけさせようとしていたのでしょうか。

5.10

自己責任論の危険性

子供に自己責任論は無理

スマホ使用者が被害を被ったとき、それはその人の使用法が悪かったのだ、という自己責任論があります。スマホ依存症になったり、SNSでいじめられたりするのも、自業自得というわけですが、セルフコントロールがまだできない子供に玩具としてスマホを与え、無制限に使わせて、何が起きても子供の自己責任、というのは無茶な話です。

スマホには、ギャンブルやアルコールのように依存性があることがわかっています。大人では自己責任とされるギャンブルやアルコール、ドラッグの依存症は、自分だけでは治すことはできません。常習化している場合は、特別な施設に入って、依存対象との接触を断つ回復プログラムを受けることになります。

保護者の役割

未成年者のスマホ使用については、年齢や個人の成長に合わせ、保護者による適切なアドバイスや制御が必要です。スマホを適切に使用できないとか、スマホを通して送られてくる情報に適切に対処できないなど、子供自身の判断力や対応力が未熟な場合は、保護者が積極的に子供のスマホライフに関わるようにしましょう。

5.11

電波による生体への影響はあるか

スマホ使用で脳等への直接的な影響はないと思われる

スマホは電波によって基地局やWi-Hiルーターなどと無線で通信します。このため、スマホ本体からも電波（電磁波）が出ています。

X線や紫外線も同類の電磁波です。これらの電磁波は、スマホで使用される電磁波に比べて非常に高い周波数で、多量に浴びると生体に悪影響があります。具体的には、細胞の遺伝子が破壊されること（電離作用）があります。

スマホが使用する周波数は、X線などに比べて低く、電離作用の恐れはありません。しかし、電波はエネルギーを持っているため、発熱作用があります。電子レンジはこの作用を利用した電化製品です。

スマホの電話機能を使用する場合には、使用場所が頭に近いことから、脳細胞への発熱作用が危惧されました。健康と電磁波利用との関係は、各国の専門機関によって多くの研究成果が積み上がっています。それらによると、現在のスマホの無線通信において、特に子供にも安全な範囲になるような防止機能を持ったスマホであれば、発熱作用のリスクは低いと結論づけられています。

5.12

デジタル障害から子供を守る諸外国の取り組み

スマホから子供が受けるかもしれない被害

デジタル障害とは、デジタルデバイスの使用者に起こり、継続的に日常生活や社会生活に相当な制限を受けるような状態のことです。このため、スマホに限らずタブレットやコンピューターも含まれます。子供たちにとっては、デジタルデバイスの適切でない使い方は、睡眠障害や「注意欠如・多動症（ADHD）」の原因となることもあるといわれています。さらに、学校生活において、いじめや学力の低下、引きこもりの一因とも考えられています。

諸外国の取り組み

不適切なデジタルデバイスの使用に、ゲーム依存があります。スマホはどこでも使用できるため、繰り返し何度もゲームをしてしまいます。

アメリカでは、ゲーム会社や大手IT企業がデジタル障害に対応した自主規制をしています。中国では未成年者のオンラインゲームの利用時間を制限しています。さらに中国ではゲームに使用するコンテンツやストーリーについての規制もあります。

コラム 電波の比吸収率

比吸収率（SAR：Specific Absorption Rate）は、人が6分間、電波に晒されたとき、人体が吸収するエネルギー量（W）で、全身の場合は1kg当たり、局所の場合は10g当たりの量で示されます。放射能の「シーベルト」に相当すると思えばよいでしょう。

スマホでは耳に当てて使用したり、身につけて持ち歩いたりするため、局所でのSAR値が許容値としてよく示されます。日本では、総務省令によってSAR：2W/kg、4W/kg（四肢）が許容値として示されています。これらの値は、WHOの基準に照らして同等です（ノルウェー、スイス、オーストラリア、ニュージーランド、シンガポール、タイ、マレーシアなども同じ）。IEEE規格に準拠している北米、韓国などでは、SAR：1.6W/kgを基準としています。

5.13

ゲーム依存症

ゲーム障害が疑われる症状

スマホを情報端末というよりも「ゲーム機」としてとらえている子供も多いでしょう。どこにでも持っていけるスマホは、子供にとって、親に隠れてゲームができる“便利なゲーム機”です。

このような環境で子供たちに心配されるのがゲーム依存です。

「ゲーム依存」は、自制できないほどになるとゲーム依存症あるいはゲーム障害と呼ばれ、疾病の1つに分類されます。

WHOのICD-11（国際疾病分類第11版）によると、「Gaming Disorder（ゲーム障害）」と診断されるのは、次のような症状ある場合です。

・ゲームをすることを自身で制御できない。
・他の生活事項よりゲームの優先順位が高い。
・ゲーム依存による人間関係の悪化や健康への悪影響などにもかかわらず、ゲームがやめられない。
・身体的な健康への悪影響が生じる。

また、ICD-11では、年代によらず女性よりも男性の方がゲーム依存の影響を強く受けるとされます。

5.14

家族の位置を知りたい

位置情報アプリがあります

中学生以下の子供にスマホを買い与える理由のトップは、子供の位置情報と連絡のためです。そのためのアプリもいろいろ作られています。

LINEで家族のグループを作り、チャットで連絡を取り合うのもよいでしょう。電話やメールよりも手軽です。

「Life360: Find Family & Friends」は、家族や恋人、友人など近しい人とのつながりを想定したアプリです。現在地情報を簡単に確認できるほか、家や職場、駅などの特定の場所に到着あるいは出発したことを通知します。

裏技 自分の居場所を相手に伝える

iPhone

iPhoneの標準アプリマップを使うと、自分の居場所をLINEやFacebook、SMSなどで簡単に共有することができます。

❶マップアプリを起動して、「自分の居場所」を示す「青い点」をタップ➡❷「現在地を共有」をタップ➡❸連絡したいアプリを選び、共有したい相手を選んで、送信ボタンや「シェア」(Facebook)、「転送」(LINE)、「ツイートする」(X)などをタップします。

便利技 子供の現在位置を調べる

Android

親子でAndroidを使っている場合は、ファミリーリンクを使って子供のAndroidを登録しておくと、「Googleマップ」アプリで子供の居場所がわかるようになります。

● ファミリーリンクの設定をする

作業を始める前に、まず親子のスマートフォンに「Googleファミリーリンク」アプリをインストールしておきます。子供のGoogleアカウントが必要になるので、なければ取得しておいてください。子供のスマートフォンは近くに置いておきます。

まず親のスマートフォンの設定からです。❶「ファミリーリンク」を起動➡❷「設定を開始する前に」画面で「次へ」をタップ➡❸「ファミリーグループの管理者になりますか?」画面で「管理者になる」をタップ➡❹「お子様のGoogleアカウントはお持ちですか?」画面で「はい」をタップ➡❺「お子様の端末をファミリーリンクに接続します」画面で「次へ」をタップ➡❻子供のスマートフォンを親のスマートフォンの隣に並べて「次へ」をタップしたら、親の設定は完了です。

Android

13:00
設定を開始する前に
管理するお子様のデバイスをお手元にご用意ください。
対応デバイスをご確認ください
❷タップ
次へ

次に子供のスマートフォンの設定です。❶「設定」アプリを起動➡❷「アカウント」をタップ➡❸「Google」をタップ➡❹ログイン画面で子供のGoogleアカウントを入力して「次へ」をタップ➡❺親のアカウントが表示されるのでタップ➡❻パスワードを入力して「次へ」をタップ➡❼「プライバシーポリシーと利用規約」画面で「同意する」をタップ➡❽

「インストールをおすすめします」画面で「次へ」をタップ（ファミリーリンクマネージャがインストールされる）➡⑨「このスマートフォンの名前を設定」画面で子供のスマートフォンに名前をつけます。名前を入力して「次へ」をタップ➡⑩アプリの確認画面で「もっと見る」をタップし、「次へ」をタップ➡⑪「プロファイルマネージャーの有効化」画面で「有効にする」をタップ➡⑫機能説明を読んだのち、「有効にする」をタップ➡⑬「Googleサービス」画面で画面を下へスクロールさせたら「次へ」をタップ➡⑭「端末を接続しました」画面で「次へ」をタップ➡⑮「設定完了」画面で「完了」ボタンをタップして終了します。

●Googleマップで子供の現在位置を確認する

次に、子供の現在位置を確認する手順です。❶「ファミリーリンク」アプリを起動➡❷子供の名前をタップ➡❸「位置情報」カードで「設定」をタップ➡❹子供の位置情報を確認するために必要な設定をオンにする➡❺「ONにする」をタップします。子供の位置がわかるまで30分ほどかかる場合があります。

Android

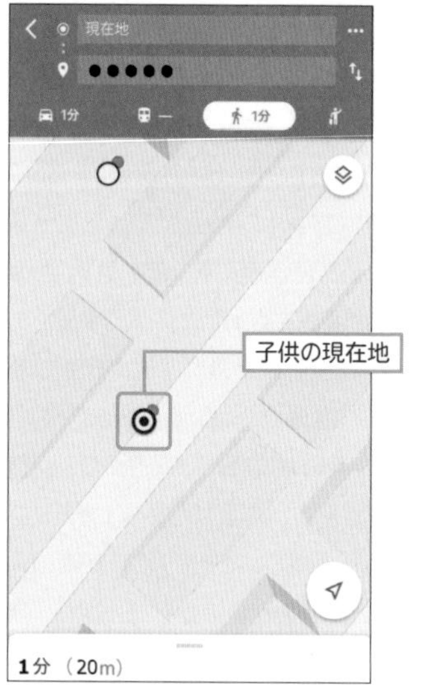

便利技 子供の現在位置を調べる

iPhone

親子でiPhoneを使っている場合は、ファミリー共有で子供のiPhoneを登録しておくと、「探す」アプリで子供の居場所がわかるようになります。

●位置情報サービスの設定をする

まず、親子のiPhoneの「位置情報」をオンにして、「探す」アプリもオンにします。❶「設定」アプリを起動➡❷「プライバシー」をタップ➡❸「位置情報サービス」をタップ➡❹「位置情報サービス」をオン➡❺「探す」をタップして「このAppの使用中のみ許可」をタップします。

iPhone

位置情報サービス

自転車	使用中のみ
写真	なし
写真フォルダ	なし
乗換案内	なし
食べログ	なし
探す	使用中のみ
天気	使用中のみ
天気	なし
頭痛ーる	なし

❺タップ

●ファミリー共有の設定をする

親のiPhoneで、子供のiPhoneを「ファミリー共有」に追加します。

❶「設定」アプリを起動➡❷自分の名前の「アカウント」をタップ➡❸「ファミリー共有」をタップ➡❹「メンバーを追加」をタップ➡❺「お子様用アカウントを作成」をタップ➡❻「次」をタップ➡❼子供の誕生日を入力して「次へ」をタップ➡❽保護者プライバシー同意書で「同意する」をタップ➡❾クレジットカードのセキュリティコード（カードの裏面に記載されている3桁番号）を入力➡❿子供の名前を入力➡⓫子供のメールアドレスを入力（子供のApple IDになります）➡⓬「作成」をタップ➡⓭パスワードを入力（子供のApple IDのパスワードになります）➡⓮今後、子供のアカウントを変更する際に必要な質問と答えを設定（質問は3種類あります）➡⓯（質問の設定後）「承認とリクエスト」がオンになっていることを確認して「次へ」をタップ➡⓰iOS, iCloud, Game Center利用規約で「同意する」をタップ➡⓱iTunes利用規約で「同意する」をタップ➡⓲以降

は設定画面の指示に従って進んでください。

●子供がファミリー共有されたかを確認する

子供のiPhoneがファミリー共有されたかを、親のiPhoneで確認します。❶「設定」アプリを起動➡❷「ファミリー共有」をタップ➡❸「位置情報の共有」をタップ➡❹「位置情報をファミリーと共有」画面で「位置情報を共有」をタップ➡❺「ファミリーに知らせる」画面で「今はしない」をタップ➡❻「探す」画面のファミリーのところに子供がメンバーとして表示されていることを確認します。

 iPhone

< Apple ID　探す
iPhoneを探す　オン >
このiPhoneとその他の対応アクセサリが地図上に表示されるようにします。
現在地　このデバイス
位置情報を共有
"メッセージ"と"探す"で位置情報を家族および友達と共有し、HomePodのSiriでパーソナルリクエストを実行したり、"ホーム" Appでオートメーションを使用することができます。
ファミリー
あなたの位置情報を見ることができません。
位置情報を共有しているファミリーメンバーは、"iPhoneを探す"でお使いのほかのデバイスの位置
❻確認

以上で設定が完了しました。

●「探す」アプリで子供の現在位置を確認する

親のiPhoneの「探す」アプリで子供（のiPhone）の現在地を調べることができます。❶「探す」アプリを起動➡❷（初めて使うとき）「探すに位置情報の利用を許可しますか」画面で「Appの使用中は許可」をタップ➡❸「ようこそ探すへ」画面で「続ける」をタップ➡❹画面下の「人を探す」の中から➡❺探す子供の名前をタップ➡❻地図上に子供の現在地が表示されます。

 iPhone

5.15

ルールは親子で話し合って作る

ルール作りの４つのポイント

未成年者に親がスマホを与えるときには、これから親子に起こると予想される様々なアクシデントやトラブルを想像して、それらが起きないようないくつかの約束事を親子で取り決めておきましょう。

ポイントは、次の４つです。

①買う前に決めること

１つ目のポイントは、買う前に取り決めることです。「これらのルールを守れるなら、スマホを買うよ」「もし守れなければ、買えない」。スマホが欲しい子供なら、とにかく「はい。絶対に守る！」と宣言するでしょう。そこで、親子で話し合いながら、ルール作りをします。親は実際にあった事件や事故の例を出して、スマホの危険性を教えましょう。

②決めたように使っているかのチェック

2つ目のポイントは、ルールが守られているかどうかチェックできるようなルールを作ることです。例えば、“夜8時になったら、スマホの電源を切る”では、子供が自室で隠れて見ていてもわかりません。そこで、“夜8時になったら、スマホはリビングの充電器につなぐ（スマホを休ませてあげる）”というように、チェックしやすくします。

③制限事項

3つ目は、制限事項をルールに入れることです。“禁止事項をしないなら、無制限に使用していいよ”では、保護者として無責任です。制限事項として必須な項目は、生活の中の優先順位です。家族との食事を優先するなら「食事中はスマホにさわらない」、学校の成績を優先するなら「スマホの自由時間は、勉強が終わってから」というように、具体的に決めるようにしましょう。

④罰則事項

4つ目は、違反した場合の罰則を決めておくことです。

ルールは、子供の年齢によって内容を変えなければなりません。中学生と高校生では、生活の範囲も質も変わります。その都度、親子でよく話し合ってルールを決めるようにしましょう。

5.16

アナログな生活体験の重要性

デジタルとアナログをミックスさせた体験

デジタル社会で生きていく子供たちには意図的に“本物のアナログ体験”を与えなければならない、といわれています。

デジタル教材による体験でも情操を豊かにすることはできても、アナログな体験から得られる刺激とは異なります。アナログな現象をエミュレートしたものは完全なアナログではなく、どこまで行っても模造品です。生身の人間はアナログそのものであるため、生活環境をすべてデジタルに置き換えることは無理で、このため、成長過程に合わせて、デジタルとアナログの両方を体験させることが重要です。

5.17

スマホ育児は推奨されない？

アナログも大切

アプリを使って育児を支援することをスマホ育児といいます。スマホ育児による子供たちの精神や性格、学力に与える影響などは、まだ統計的な資料が少なく、良いとも悪いとも判断がつかないのが現状です。

ただし、小児科医や心理学者からは、幼少期からのデジタルデバイスだけによる過度な刺激が、脳の正常な発達を阻害する恐れがあると警告されています。

スマホなどのデジタルデバイスからの刺激に偏らず、これまであったようなアナログな玩具による遊び体験、体を使った遊び体験、子供たち同士による遊び体験などをバランスよく取り入れることが、心身の総合的な発達に大切なことだと思われます。

スマホ育児

親に対しては、①育児アプリの活用、②子育て情報のアクセス、③リモートモニタリングなどがあります。

子供に対しては、①子供向けエンターテインメントなどがあります。

5.18

学校貸与のタブレット

タブレット画面は目を疲労させる

国のGIGAスクール構想によって、日本国内のすべての小中学校にPC端末（多くはタブレット形式のコンピューター）が1人1台配布されました。

教室等でタブレットを使用する際に注意したいのが、タブレット表面に写り込む蛍光灯や日光の光です。これらの反射によって、児童生徒の目が以前よりも疲労することが危惧されます。これを防止するには、タブレットの画面と児童生徒の画面への視線とをできるだけ直交させるように置くことが必要になります。

小中学校でのタブレットやノートPCの利用推進は、情報リテラシーの獲得を一気に拡充させ、情報格差の是正にも役立っています。また、主体的な学習を補助するスマートな教育機器としての可能性が期待できます。

その一方、電子スクリーン症候群等、子供たちの心身に対する負の側面への対応の遅れが危惧されます。

5.19

子供のスマホ使用の相談

悩み相談の窓口を知っておく

Web上には、スマホが子供の発達に及ぼす影響について真剣に考慮しない記事が散見されます。一方で、教育現場や家庭からは、子供たちが被害者にならないようするにはどうすればよいのか、といった相談が増えています。

東京都の生活文化スポーツ局にある都民安全推進部では、このような保護者や本人から寄せられた過去の相談事例をアドバイス付きで公表しています。この相談こたエールは、匿名でLINEやメール、電話で行うことができます（0120-1-78302、月〜土曜日　15:00〜21:00）。

東京都に限らず、各自治体や公共の施設・機関、またNPO法人など公共性の高い各種団体には、スマホやネットに関する相談に乗ってくれるところも多くあります。なお、財産や生命に関する差し迫った問題の場合は、迷わず弁護士や警察に相談しましょう。

相談ほっとLINE@東京の画面▶

第6章

ウェブサイト利用の落とし穴

ここでは、インターネットの落とし穴、注意したいWeb使用時の危険性、情報社会の基本的なネットトリテラシーなどについて解説します。

6.1

ベストアンサーは正しい？

蓄積される知恵の信頼性は低いときもある

Yahoo！知恵袋は、専用フォームから誰かが投稿した疑問に対して、ネット上のほかの誰かが回答して疑問を解決していく共有サービスです。疑問の投稿者が、寄せられた回答に対してベストアンサーを選ぶと、疑問が解決されたとされます。過去の投稿に関する内容は検索できます。このため、同じような疑問に対しては簡単にベストアンサーが表示されます。

「Yahoo！知恵袋」サイトのヘルプにも、「質問や回答の内容が正確であることは保証していません」と明記されています。

このことからもわかるように、「Yahoo！知恵袋」の回答の中には、疑問を投げた人にとってはベストアンサーでも、ほかの人から見ると、あまり役立たないものもあります。学術的な疑問や質問より、専門的な分野の技や知識、限定的な場所や地域の知識や風習などのニッチな内容を聞く、といった使い方が多いようです。

6.2

ウィキペディアは正しい？

間違っている内容も含まれている

ウィキペディア（Wikipedia）の執筆はボランティアが担っています。執筆ボランティアは、誰でも参加することができるため、信頼性に疑問のある内容も多く存在しています。

学術的な知識をウィキペディアから得ることもできますが、学術論文等への引用はしないようにしましょう。

ウィキペディアの海外サイトと比べる

ウィキペディアは、世界中の多くの言語で作成されています。作成しているボランティアのほとんどは、その母国語で書いています。例えば、「タージマハール」について調べたいときには、ウィキペディアの日本語ページを見て多くのことを知ることができますが、ヒンドゥー語ページでは、日本語ページにはない情報も記されている可能性があります。異なる言語ページを比べたときに内容が異なるときは、どちらを信じればよいか慎重に考慮する必要があるでしょう。

6.3

まとめサイトは正しい？

複製を続けると質は低下する

まとめサイト（キュレーションサイト）は、ネット上のいくつかのサイトの内容を編集して1つにまとめたサイトです。

まとめサイトに情報を載せる場合、編集者はいくつかのサイトの情報を照らし合わせて、できるだけ信頼性の高い情報にしていると思われます。しかし、編集者はあくまでも著作者ではなく、専門的な知識や技術を持っているとは限りません。このため、まとめサイトの内容によっては、信頼性が低い場合もあります。

情報を引用（複製）することを繰り返すと、少しずつ内容が変わることもあります。理解するのが難解な情報が抜かれたり、古いデータに置き換えられたりすることで、情報源にあった本当に大切な情報が失われる可能性があります。

より正しい情報を得るためには、まとめサイトが参照・引用している元サイトの情報も確認するようにしましょう。もちろん、掲載されている情報を引用するときには、情報の大元の情報を引用しなければなりません。

6.4

無断コピペはどこまで許される？

著作物以外はコピペしてOK

著作物の一部をコピペ（コピー・アンド・ペースト）する場合には、引用元の情報を明記しなければなりません。

著作権法では、著作物とは、次の4事項をすべて満たす必要があるとされています。(1)「思想又は感情」を(2)「創作的」に(3)「表現したもの」であって、(4)「文芸、学術、美術又は音楽の範囲に属するもの」。このため、単なる数値や文字データ、また創作的でない表やグラフは、Webページの引用元の記載なくコピペして大丈夫です。

著作物をコピペしたとき

著作物であっても、引用・参照（参考）のルールに則ってコピペすることができます。引用などをする場合には、「自分の著作物と区別されていること」「引用元がそのまま複写されていること」「自分の著作物と引用元を分量や内容で見たときの主従関係として、引用元の方が『従』になっていること」に注意しましょう。

便利技 プライベート（シークレット）モード

iPhoneのプライベートモード、Androidのシークレットモード、WindowsのEdgeにおける「InPrivate」は、Webブラウザ使用時の閲覧履歴を残さないモードです。

これらのモードに切り替えず、通常モードで閲覧していたWebページの情報は記録されます。これは、一度表示したページに後で再アクセスしたときに素早くページを表示するためのデータキャッシュを行うためでもあります。また、Webページでフォームを使用したときに入力したパスワード情報などもキャッシュされ、再入力の手間を省くこともできます。

このようなWebページの閲覧履歴は、通常は明示的に履歴削除を行わない限りある一定期間デバイスに保存されます。このため、昨日閲覧したWebページのどこかに欲しかった情報があったはずだ、といったときなどには、履歴を検索して再アクセスしやすくなります。

ブラウザで閲覧したWebページの履歴を見るためには、ブラウザが利用できるアカウントでサインインする必要があります。しかし、サインインしたまま席を外した隙に閲覧記録を覗かれたり、パスワード入力ページにアクセスしてパスワード情報が盗まれたりする危険もあります。プライベートモードなどでは、その心配は不要になります。なお、どのブラウザにも閲覧履歴を削除する機能もあります。

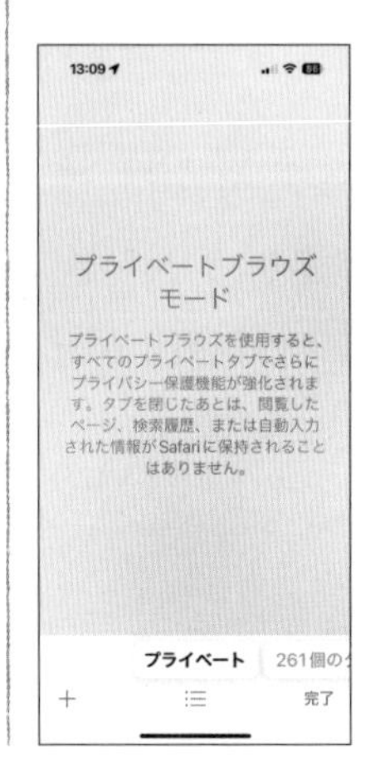

6.5

ChatGPT（チャットジーピーティー）の落とし穴

回答のすべてを真に受けないように

ChatGPT（Chat Generative Pre-trained Transformer）は、専用のフォームに入力する人の自然な問いかけに対して自然な文章で応える対話型のAIです。米国の企業が開発しましたが、日本語でも利用できます。

ChatGPTの人工知能は、教師あり学習や強化学習を使って“賢く”なります。ChatGPTが“使える”かどうかは、トレーニングデータの数と質によります。トレーニングが不十分または偏ったデータでしか行われていない項目の回答の中には、不適切なものや内容が不十分なもの、チンプンカンプンなものも含まれます。ただし、トレーニングが進めばより適切な回答を返す可能性もあります。

情報漏洩に注意

ChatGPTに代表される現在の生成（系）AIは、膨大なデータを使用するため専用のシステムを使用します。顧客等の個人情報をこのようなシステムに入力した場合には、情報漏洩が危惧されます。また、画像生成系AIに新商品のデッサン等や設計図を入力したことによる情報漏洩も起こり得ます。

6.6

雨雲レーダーの落とし穴

急激な気象変化に対応できない場合もある

インターネットの天気予報サイトの雨雲レーダー情報は、通勤通学時に雨が降るかどうかを知りたいときによく利用されます。比較的精度もよく、便利に利用している人も多いようです。

しかし、過信は禁物です。雨雲レーダー予報は、メッシュ予報（予測地域を数km程度の正方形領域に分けて行う予報）であるため、自分のいる場所の気象状況との間に違いが生じることがあります。

また、利用者の少ない山間部や海上では精度が悪くなったり、そもそも使えなかったりします。

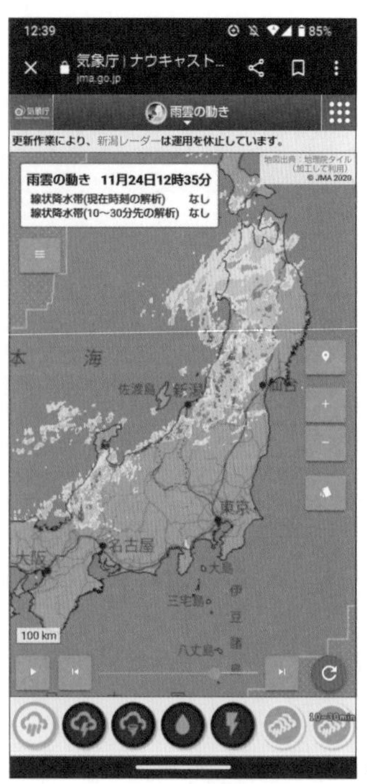

◀気象庁「ナウキャスト」

6.7

Googleマップの落とし穴

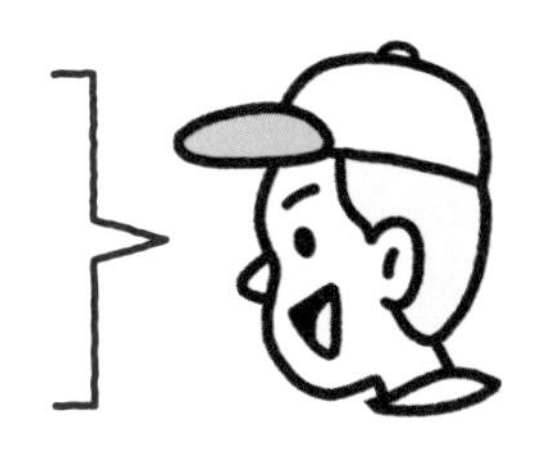

マップ上の情報が古いことも

Googleマップは、自動車や自転車のナビ（カーナビゲーション）として利用されることも多い無料の地図情報サービスです。道路情報だけではなく、ガソリンスタンド、コンビニ、飲食店などの施設の情報も載っています。

しかし、Googleマップに限ったことではありませんが、データ更新の頻度が店舗の新設・廃止のスピードに間に合わないことが多い地域では、表示と実際が合致しないこともあります。

Google社は、Googleマップの更新サイクルを発表していませんが、サイクルの短いところでも1～2週間と思われます。なお、掲載のマップ情報と実際が異なる場合は、利用者自らがGoogleマップのメニューから地図の編集を行うこともできます。

ナビやストリートビューへの課題

Googleマップの交通ナビは、自動車、公共交通機関、自転車、徒歩など移動手段ごとの経路と到着予定時刻を知らせてくれます。実際に使用してみた感想としては、十分な実用性のある、信頼できる便利な機能のようです。しかし、落とし穴もあります。

1つ目として、Googleマップを自動車用ナビとして利用するとき、検索された最短経路に道幅が狭い道路が選択されることがあります。大きな車体での使用には注意が必要です。2つ目は、ストリートビューに個人情報などが偶然写り込むことによる、プライバシーに関する問題です。これに関し、総務省は「重大な問題はない」と結論づけていますが、法的なリスクは残るとも言っています。

便利技 目的地までの経路を調べたい(Googleマップ)

目的地までの経路を調べるには、Googleマップ(Android、iPhone)やマップ(iPhoneのみ)を使います。目的地を入力するだけで、現在地や指定した場所から目的地までの、車・電車・徒歩・タクシー・自転車・飛行機などの手段による経路を探索することができます。

①Googleマップを起動➡②「東京スカイツリー」と入力➡③目的地の地図が表示されたら、車のアイコンをタップ➡④現在地から目的地までの車による経路の全体が表示される➡⑤経路の案内を開始するボタンをタップすると経路案内が始まります。

Android/iPhone共通

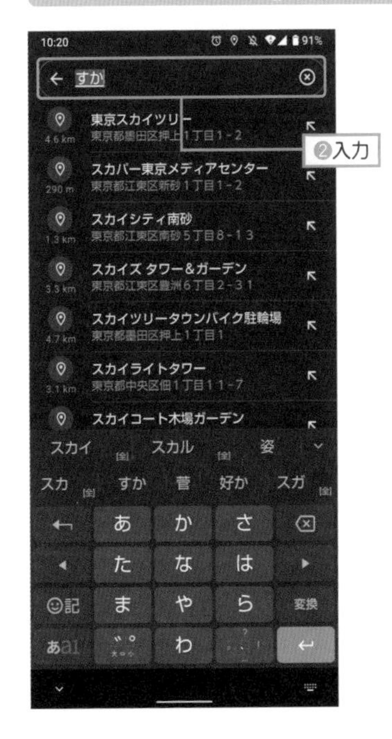

6.8

AIに個人情報を知らせない

AIが個人情報を受け取っているかどうかはわからない

ChatGPTなどテキスト生成（系）AIでは、人と会話をするようにして、疑問や課題をAIに投げかけると、自然言語による回答が返ってきます。テキスト生成系AIに何かを尋ねたり、作成させたりしなくても、チャット相手として使用することも可能です。例えば、「僕は○○といいます。はじめまして」と入力すると、AIは「はじめまして、○○さん。私はBingです。どうぞよろしくお願いします。」などと返してきます。

しかし、調子に乗って、あなたの個人情報を入力するのは控えた方がよさそうです。個人情報を扱わない、または完全に保護することを謳（うた）っている生成系AIを騙る偽のAIサイトもあるからです。

試しにBingに銀行口座を教えたら、次のように回答がありました。「申し訳ありませんが、私は銀行口座情報を受け取ることができません。銀行口座情報を共有することは、あなたのプライバシーを危険にさらす可能性があるため、安全上の理由からおすすめしません」——しかし、本当に信用できるかどうかは筆者にもわかるはずはありません。

6.9

翻訳アプリを海外旅行で使うときの注意

翻訳に要する時間や内容の不正確さを考慮する

翻訳アプリは、音声で入力した言葉を翻訳して、音声で出力するアプリです。例えば海外旅行では、「この商品はどのように使うのですか？」「駅に行く道順を教えてください」などを日本語で入力すれば、現地の言葉に翻訳してくれます。

海外で翻訳アプリを使用するときには、翻訳される内容が会話内容として妥当かは保証されないため、重要な契約や微妙な会話に使うときは注意しなければなりません。また、アプリが正確に聞き取れるように、翻訳アプリは雑音の少ない場所で使用するようにしましょう。

リアルタイムに翻訳アプリを使用するときは、マナーに気をつけることが重要です。まず、翻訳アプリの翻訳内容には文化的、民族的に失礼な出力が含まれる可能性があります。翻訳アプリを使用する際は、事前に翻訳アプリで会話することを相手に伝えましょう。

翻訳アプリを使用した会話は、使用しないときに比べて時間がかかります。相手が忙しく、時間が限られているときは、必要なことだけを手短に伝えるよう配慮しましょう。

6.10

翻訳サイトの落とし穴

専門的あるいは限定的な内容の翻訳には注意

翻訳サイトや翻訳アプリには、単に単語や短いフレーズを翻訳するだけではなく、まとまった文章を翻訳したり、テキストではなく入力した音声を翻訳して音声で出力したりできるものがあります。

AIによって自然な文章として翻訳されていても、著者の創作した文脈を汲んだ翻訳になっているかどうかは保証されません。専門用語や俗語、方言等を含む翻訳などでは、出力される文章が正しく翻訳されているかどうかわからないため、特に論文や契約書などを翻訳する場合には注意が必要です。

翻訳サイトを利用する場合、手元のブラウザやアプリに入力したデータが翻訳サイトの専用サーバーによって翻訳され、その結果が返されます。このため、個人情報や機密情報が漏れる可能性もあります。

6.11

パスワードの使い回しは危険

パスワードセキュリティの基本！

重要な情報を取り扱うサイトにログインするときのパスワードの使い回しは避けるようにしましょう。いずれかのサイトのログイン用パスワードが漏洩すると、ほかのサイトへもログオンすることが容易になるため、被害が拡大してしまいます。

それではパスワード管理をどうすればよいかというと、重要な情報を扱うサイトへのログインパスワードは、複雑（大文字と小文字を含むアルファベットと数字、記号の複雑な組み合わせ）で、十分な長さ（最低でも８文字以上）のパスワードをサイトごとに変えることです。しかし、実際にこのようなパスワードを複数、使い分けるのは煩雑です。そこで、パスワード管理ができるアプリを導入したり、パスワードノートに記述してノートを保管したりします。

複数のパスワードを１つのアプリで管理できる「パスワード管理アプリ」も便利です。パスワード管理アプリ用のパスワードを覚える必要はありますが、ほかのパスワードはアプリに登録します。

銀行用アプリなどでは、指紋認証が使用できます。パスワードを覚えたり入力したりする手間が省け、しかも高いセキュリティを保つことができます。

6.12

偽ショッピングサイトに注意

偽ショッピングサイトのチェックリスト

偽ショッピングサイトは、本物のショッピングサイトとそっくりに作られていますが、よく見ると、本物ではない特徴が見つかります。以下は偽ショッピングサイトかどうかを確認するリストです。

▼偽サイトのチェック

- □ URLのドメイン名が店名や製品と関係ない。
- □ URLのドメイン名が「.com」「.co.jp」「.jp」以外。
- □ 値段が安すぎる、または値引きが大きすぎる。
- □ URLが「https://」から始まる、暗号化されたデータをやり取りするサイトではない。
- □ 不自然な日本語が使われている。
- □ 商品紹介ページではクレジット払いが可能とされているのに、実際は銀行振り込みや代引きしかできない。
- □ 会社の所在地が番地まで記載されていない。
- □ 振込先口座名義が個人名になっている。
- □ 連絡先に固定電話の番号がない。
- □ 商品のレビューがほとんどない。

このリストにチェックが1つでも入る場合は、偽ショッピングサイトを疑いましょう。消費者庁のサイトには、海外の偽ショッピングサイトの情報があるので、リストに載っているかを調べることができます。

6.13

レビューにはスパムが含まれるかもしれない

レビューや評価は参考程度に

製品やサービスを購入しようと思い、ネットショップを閲覧したとき、既にそれらを購入した人の感想（レビュー）や評価（星の数）を確認することも多いと思います。レビューには製品の使い勝手やデザイン、色など細かなことが書かれている場合があります。ホテルや宿を予約する場合には、音やにおいといった、写真ではわかりにくい視覚以外の感覚的な情報をレビューから読み取ろうとする人も多いようです。

ネットショッピングする人の70%以上が、レビューや星の数を、製品やサービスの購入の参考にするともいわれています。同じような製品やサービスがいくつかある中でどれにするか迷った場合は、レビューの評価や購入者数を参考にする人も多いでしょう。このような消費者の行動から、ショップ側では高評価のレビューを増やしたいと思うのは当然のことで、様々な工夫をしています。購入後、使用後にレビューを載せたら“おまけ”（小物やクーポンなど）を後送する、というのも一般的に行われています。

スパムレビューとは

誰に訊いてもルール違反と判断されるのは、関係者による自作自演のレビューや評価でしょう（このようなレビューをここではスパムレビューと呼びます）。当事者がレビューを書いたり、社員の家族などの関係者に高評価をつけさせたりしては、レビューや星の数の真実味が薄れます。Amazonや楽天市場などの大手のネットショッピングモールでは、このようなスパムレビューは厳しく禁止しています。AIを使って、スパムレビューや怪しいレビューを検知することも行われています。

ネットショップに依頼されて、高評価のレビューを大量に書き込むビジネスも実際に存在します。少し前までは、レビューの日本語が少しおかしかったり、似たようなフレーズによるレビューが同日に固まっていたり、といったわかりやすいスパムレビューも見つかりましたが、最近はスパムレビューも高度化して見分けがつきにくくなっているともいわれています。

反対に、ライバルショップのネットに悪評価のレビューを書き込むことも十分に考えられます。高評価も悪評価も、実際には使用していない、買ってもいない人たちによって載せられている可能性は否定できません。ネットショッピングでも“賢い消費者”になってもらうための教育が必要とされています。

6.14

ステルスマーケティングは“サクラ”行為

ステマは法律で禁止された

　ステルスマーケティング（ステマ）とは、企業や広告主から依頼されていることを隠し、特定の企業や製品、サービスについて好意的な発言（発信）をする行為です。スパムレビューもステマの一種で、なりすまし型に分類されます。

　対して、利益提供秘匿型の例では、有名人やインフルエンサーが、契約した企業の製品やサービスを好意的に発言（発信）し、報酬を得ていましたが、有名人らはこれを広告と明記していませんでした。“サクラ”と表現するとわかりやすいでしょうか。

　ステルスマーケティングは、消費者の信頼を損なったり、「不当景品類及び不当表示防止法」に違反したりする可能性があります。ステマ手法に関して消費者庁は不当表示に指定し、罰則が設けられました（2023年10月）。

6.15

オークションサイトのNCNRは絶対か？

NCNRとあっても不当な契約は取り消させる

オークションサイトでは出品者から「この製品についてはNCNR（ノークレーム、ノーリターン）でお願いします」などのコメントがつけられていることがあります。つまり、落札して製品が届いても、落札者はクレームもつけられず、また返品することもできない、という意味です。

その場合でも、次のように、落札した製品が出品時と違っていた場合や壊れた製品が送られてきた場合には、契約解除や損害賠償請求ができることがあります。1つは、送られてきた製品が明らかに出品写真と異なるものである場合です。もう1つは、出品者が製品の欠陥を知っていたのに、そのことを落札者に伝えなかった場合です。

なお、本物と謳っていたのに、それが実際には偽物だった場合、出品者（事業者）は、消費者契約法による不実の告知に当たり、契約の取り消しができます。個人の出品者の場合は、民法95条の錯誤の規定によって契約の取り消しが可能です。

6.16

ネットオークション、個人と事業者の線引き

出品が多ければ事業者として扱われる

ネットオークションの出品者情報を見ると、Storeと表示される事業者（ほとんどの「ストアー」は消費税が別にかかります）と、個人に分かれています。「Store」の出品企業情報ページには、「会社名」「代表者名」「本社住所」「担当者名」「営業時間」など詳細な事業者情報が載っています。これに対して、個人出品の場合には、オークションサイトによる個人確認済みの表示があります。事業者だから偽物がないとか、絶対に本物だとかは、オークションサイトが保証することはありません。オークションをする人の責任において参加するのが前提となっています。

おもに出品側が事業者か個人かの違いは、特定商取引法の規制を受けるかどうかの違いになります。事業者扱いになると、「特定商取引法」を無視できなくなります。法人を作らず、または屋号を持つ店舗としてではなくオークションに出品しているからといって、すべて個人扱いになるわけではありません。

線引きは、出品数です。大量の製品を出品すると、事業者として扱われます。消費庁が公表している「インターネット・オークションにおける『販売業者』に係るガイドライン」によれば、次のいずれかに当たる場合は事業者に該当するとされます。

ネット事業者の線引き

①過去1カ月に200点以上または一時点において100点以上の製品を新規出品している場合
②落札額の合計が過去1カ月に100万円以上である場合
③落札額の合計が過去1年間に1000万円以上である場合

なお、事業者とみなされ、特定商取引法の順守を求められるようになると、「氏名等の明示の義務付け」「価格・支払条件等についての不実告知の禁止」などが定められ、違反した場合には、業務停止命令などの行政処分や罰則の対象にもなります。また、消費者のクーリングオフも認められています。

6.17

使ってみた系の内容は本物か

内容をよく吟味して判断しましょう

アフィリエイトとは、Webサイトのブログや SNS などのコンテンツページに広告を貼って、広告主から報酬を得る仕組みです。

例えば、化粧や健康に関するブログページには、化粧品や健康器具、サプリメントなど、読者が興味を持ちそうなコンテンツのアフィリエイトの広告バナーを載せます。ブログ記事には、ブロガーが自ら健康器具等を使ってみた感想や結果が記述されます。記事がよくできていれば、読者が広告のバナーをクリックして健康器具を購入する可能性が高まるでしょう。まるで、テレビショッピングのWeb版といったところです。

YouTubeなどでは、やってみた系動画が多く再生されています。この種の動画は、内容がだいたいわかっているので作りやすく、同じような内容のものが数多くあります。

そこで問題となるのは、実際に使ってもいない製品のレビューをでっち上げたものです。上記のような健康関連のブログなどは、医薬品医療機器等法違反になる可能性があります。医薬品、健康関連の製品でなくても、誇大広告等として倫理違反をしている可能性があります。動画の場合は実際に行っているわけですが、その結果は粉飾されていないとは限りません。

鍵垢（かぎあか）のススメ

鍵垢（かぎあか）とは、鍵の付いたアカウントの意味で、つまり、公開されていないアカウントのことです。

鍵垢による投稿は、鍵垢の所有者が許可した相手（フォロワー）にしか見られません。

鍵垢の設定は、Xやインスタグラムでは、投稿の「非公開」、あるいはアカウントの「非公開」に設定します。

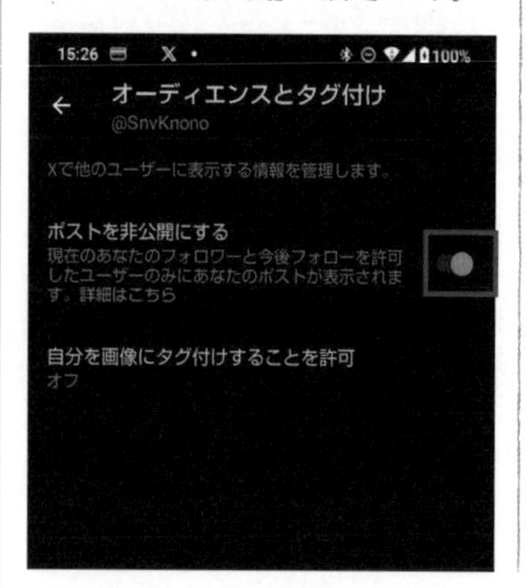

Xでは、次のようにします。

❶設定とサポート➡設定とプライバシー➡プライバシーと安全➡オーディエンスとタグ付け

❷「ポストを非公開にする」をオンにします。

第7章

社会人の常識、スマホの法律

社会人、ビジネスマンのスマホ使用時の常識です。マナーやエチケットに留まらず、法律に関係することもあります。

7.1

スマホ電話にかけたときの最初の常套句

スマホ電話で通話を続けられるか確認しよう

ビジネス上の連絡電話を相手のスマホにかけるときの常套句です。最初は、自社名から自分の所属と名前です。続いて、相手が通話しようとする人かどうかを確認します。

「●●会社○○部の□□と申します。▲▲さまの携帯電話でしょうか」

電話口の人が通話する相手であることを確認したら、スマホでの通話であることを慮った言い回しを続けます。

「△△の件でお電話しました。いま、電話していて大丈夫ですか？」

ここまでで通話の了解が得られれば、手短にはっきりと要件を述べます。

なお、「もしもし」はカジュアルな言い回しとの考え方もあり、ビジネスでは使わない方がよいとされています。相手との関係性を意識的に近づけた場合以外では、使わない方がよいでしょう。

7.2

電波状況が悪い場所で電話がかかってきたとき

電波状況のいい場所で通話しよう

スマホの電話は、電波による無線通信です。様々な状況によって、通話の品質が悪くなることがあります。このようなときには、場所を少し移動することで電波状況が改善する場合もあります。

電話に出てみて、相手の声が小さくてボリュームを上げても聞き取れない、雑音が多い、通話が途切れることがある、など電波状態のせいだと思われる場合は、相手もこちらからの声が聞き取りにくくなっているかもしれません。

そこで、

「スマホ電話でお話ししておりますが、お耳障りな雑音などありませんか。もう少し電波のいい場所に移動しまして、こちらから電話をかけ直したいと思いますが、いかがでしょうか」

などと話して、電波の強い場所や建物の外などに移動してからかけ直しましょう。

7.3

スマホ電話でビジネスの重要な話はしない！

周囲で誰が聞いているかわからない

ビジネスの重要な話をするときは、会社内なら固定電話を使いましょう。オフィスに固定電話があるのに、スマホで電話しているのは、一般的には私的な電話と思われます。さらに、その電話中、大声で笑ったり、なれなれしく話したりしているのを聞かれては、部署の雰囲気も悪くなります。

外出時、ビジネス用にスマホを使うこともあります。会社からビジネス用のスマホを貸与されることもあるでしょう。ビジネス用スマホで、私的なことを電話することもあるでしょう（勤務時間中の私的な通話は禁止されている場合もあります）。このようなとき、周囲の人たちは結構聞き耳を立てて通話の内容を聴いています。バッチやネームから会社名がわかる場合には、「○○会社の人が会社外で私的な電話をかけていた。内容は～」という噂は会社にとってマイナスになるかもしれません。私的な電話ではなく、ビジネス上の重要な内容であった場合は、会社の信用に関わる可能性もあります。

7.4

かける相手がスマホ／固定電話のときのマナーの違い

スマホ電話はより相手の状況を考慮して

ビジネス関連で電話をかける場合には、(相手も固定電話を持っているなら) こちらの固定電話から相手の固定電話にかけるのが、ビジネスの基本マナーです。相手のスマホの電話番号を知っている場合でも、通常の連絡は固定電話にかけるようにしましょう。

ただし、急な要件があるときや、相手がスマホにかけてほしいと望んでいるときには、スマホに電話しても大丈夫です。

スマホの相手に電話をかける場合には、固定電話と異なるマナーが必要になります。その1つが、相手のTPOを慮る心遣いです。スマホの相手が電話に出れば、とりあえず、相手は通話できる状況にあることはわかりますが、通話を継続できるか、判断したりメモしたりできる環境にいるか、など詳細を知ることはできません。そこで、「いま、電話して大丈夫ですか」など、はじめに相手に通話を継続できるかどうかを尋ねておくとよいでしょう。

7.5

折り返し電話に出られるように

折り返しを要求したら、電話に出られるように準備しておく

相手が不在だった場合、会社の固定電話にかけたのなら、メモを残してもらうことになるでしょうし、スマホなら留守電にメッセージを残すことになるでしょう。このとき、折り返しの電話を要求することがあります。

折り返しを要求したなら、すぐに電話に出られるようにするのがマナーです。こちらのスマホへの折り返しを要求したなら、すぐに出られるようにするべきですが、外出先ではそれも難しくなります。そこで、折り返しを要求するときに、だいたいの時間帯を伝えておくのがよいとされます。

例えば、「これから帰社しますので、午後3時以降にお電話いただければ幸いです」のようにします。

折り返し電話がかかってきたら、電話を掛けてくれたことへの感謝や、こちらから掛けられなかった理由などを伝えたいものですが、向こうからの電話に長々と話すのもよくありません。手短かに本題の話に入るようにしましょう。

7.6

スマホで話すのがはばかられるビジネス関連の内容

スマホでビジネス話をしない方がよい内容

ビジネス相手がスマホだと知って電話で話すとき、相手の状況を慮って、次のような内容は避ける方がよいでしょう。

避けた方がよい内容

- 金額に関する内容
  見積金額、請求金額、値引き交渉など
- 仕事内容の詳細な指示や打ち合わせ
  商品の詳細な説明、規格、工程の話
- ほかの顧客や取引先の情報
- 仕事に関係した個人の情報
- 機密事項

たとえ相手が「スマホの電話でも周囲には人はいないし、話せます」と言ったとしても、これらの話題は会社外で話す内容ではありません。

7.7

ビジネスマンはスマホの時計を見ないように

腕時計を持ちましょう

ビジネスマンの身だしなみといえば、のりのきいたワイシャツ、品のよい柄のネクタイ、体に合ったスーツ、折り目のついたパンツ、磨かれた革靴は当たり前。しかし最近、時刻を確認するのにスマホを見るビジネスマンが増えています。腕時計を持っていないのです。これは、ビジネスマナーからいえばマイナスです。

ビジネスマンなら役職、収入、年齢に応じたアイテムが必要です。その第一が腕時計です。顧客や取引先と対面で交渉、話し合い、打ち合わせをするとき、手元にある腕時計には自然に目が行きます。くれぐれも、このような席で時間を確認するときには、スマホではなく腕時計を見るようにしましょう。

ビジネスマンの腕時計

ビジネスマンが腕時計をつけるときのマナーとしては、取引相手よりも高価で派手な時計は避けるようにしましょう。

7.8

未成年者でもスマホの契約ができる?

未成年者による契約は取り消せる場合がある

未成年者(満17歳以下)でもスマホ契約を行うことができる場合があります。

未成年者が契約する場合には、親権者等の同意が必要です。docomo(ドコモ)やau(エーユー)、SoftBank(ソフトバンク)、Y!mobile(ワイモバイル)などでは、大人がスマホ契約をする場合と同じように、本人確認書類、引落口座やキャッシュカードなどの情報なども必要になります。親の同意がなかったり、同意があると偽ったりした場合の契約は、取り消されます。

このようにして未成年が自分でスマホの契約をすると、一般にスマホ契約者もこの未成年者名義となります。子供本人の名義となっていれば、この後の契約内容の変更や解約なども子供自身で行うことができます。ただし、その場合でも親権者の同意書や身分証明書などが必要です。

なお、成人の場合と同様に、特定商取引法で定められている期間内(8日間、20日間)にクーリングオフの手続きをすれば、契約解除ができます。

7.9

ネットでのチケット転売は

「知人に半額で譲った」などは法律違反ではない

チケット転売については、ネットで購入したものに限らず、「特定興行入場券の不正転売の禁止等による興行入場券の適正な流通の確保に関する法律」によって、ダフ屋行為等のチケット転売が禁止されています。

条件として、「興行主が有償譲渡を禁止し、興行の日時や場所を指定し、購入者の氏名などを確認している場合のチケットにおいて、チケット譲渡を生業あるいは副業としている者が販売価格を超える金額による譲渡を繰り返している」場合にこの法律が適用されます。

ネットにはチケット転売を目的としたサイトがいくつかあります。しかし、販売したチケットに関して、興行主がその譲渡方法を含めて販売規定を設定しているときは、そのルールに従うようにしましょう。

JFAのチケットリセールサービス▶

7.10

メルカリに大量の中古品を出品したい

プロとして出品するには古物商許可が必要

個人がヤフオクやメルカリで家庭の不要になったものを売る場合、これらのサイトの販売規定に従っていれば問題はありません。しかし、生業として、または副業として大量に中古品等を扱う場合には、都道府県の警察署等で古物商の許可申請を行い、許可を得る必要があります。

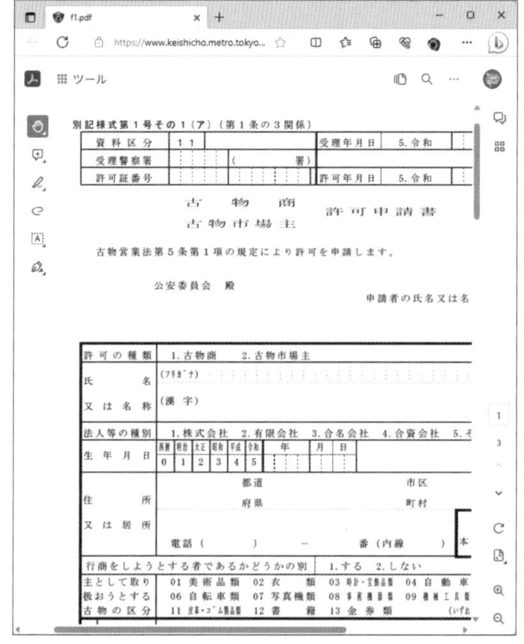

別記様式第1号その1（ア）（第1条の3関係）

資料区分	11		受理年月日	5.令和
受理警察署		（　　署）		
許可証番号			許可年月日	5.令和

古物商
古物市場主　許可申請書

古物営業法第5条第1項の規定により許可を申請します。

公安委員会　殿

申請者の氏名又は名

許可の種類	1.古物商　2.古物市場主
氏名又は名称	(ﾌﾘｶﾞﾅ) (漢字)
法人等の種別	1.株式会社　2.有限会社　3.合名会社　4.合資会社　5.そ
生年月日	西暦 0　明治 1　大正 2　昭和 3　平成 4　令和 5　年　月　日
住所又は居所	都道府県　市区町村 電話（　　）　－　番（内線　　）　本
行商をしようとする者であるかどうかの別	1.する　2.しない
主として取り扱おうとする古物の区分	01 美術品類　02 衣類　03 時計・宝飾品類　04 自動車 06 自転車類　07 写真機類　08 事務機器類　09 機械工具類 11 皮革・ゴム製品類　12 書籍　13 金券類　(いずれ

◀古物商許可申請書

7.11

身に覚えのない利用料の請求メールが来た

絶対に電話してはいけません

会費や利用料などの請求がメールで届いた場合は、慌てずに対処しましょう。この種のメールは詐欺メールの可能性が高いことから、“この請求、おそらく架空の偽請求である”と仮定してから、落ち着いて記憶やWeb履歴などを調べ、本当の請求かどうか、身に覚えがあるのかを確認しましょう。

“記憶にはないけれど、とりあえず払っておこう”ではダメです。実際にはない料金の請求（架空請求）に簡単に応じると、闇業者の“顧客リスト”に載ってしまいます。その後、手を替え品を替えて、同じようなメールがいつまでも届くことになります。

“このメールに身に覚えがなければ、以下の番号に電話しろ”というような記述があっても、絶対に電話してはいけません。相手は闇業者間で取引されている“顧客リスト”宛に同じようなメールを大量に送信し、その中から引っかかってきた善良な人を“カモ”にします。電話をしてしまえば、メールのデータが正しいことを知らせるようなものです。相手は、あなたの住所も電話番号も知りません。メールアドレスだけ（またはメールアドレスと氏名。さらに多くても職場くらいまで）を知っていたと思われますが、電話してしまえば、メールアドレス以外の個人情報を聞き出される恐れもあります。

また、そのメールに“このメールについて相談や不満がある場合、次の〇〇裁判所（または〇〇警察相談室など）に連絡してください”と書かれていても、電話してはいけません。相談先の電話番号も偽物の可能性が高いからです。

請求の主体をWebで調べると、「偽」「悪徳」など正体を示す情報が見つかることもあります。他の人にも自分と同じ文面、内容で大量にメールが送られていることが確認できれば、もう決まりです。今後、一切関わらないようにしましょう。

偽請求と疑って直接連絡しないで情報を集め回っても、その主体が悪徳詐欺師であるとの確証が得られない場合は、本当の支払い請求である可能性があります。

7.12

当選メール詐欺

身に覚えのないものは無視

応募した記憶がないのに届いた、"あなたは○○に当選しました。以下のリンクから手続きをしてください" などのメールは詐欺メールです。当選した賞品や旅行などの事務手数料をはじめてとして、登記や名義変更のための費用、保険料、通信費用、海外からの発送料金など、当選したはずなのによくわからない代金を請求されたりします。無視できないようなら、弁護士に相談するか、警察に届けてください。

コラム マネーミュール

マネーミュールは、マネーロンダリングに加担させられる人のことです。その手法は次のとおりです。

求人サイトで「海外送金アルバイト。簡単な仕事で大金が手に入る!」などと勧誘されます。この甘い言葉に乗ってしまうと、ある日、"マネーミュール" さんの口座に大金が振り込まれます。これが "黒い金" です。"マネーミュール" さんは、指示された通りにこの金を引き下ろし、手数料（バイト代金）を引いた残りを代理人に渡します。"マネーミュール" さんは、マネーロンダリングの運び屋として犯罪に加担させられることになります。

7.13

エコーチェンバー

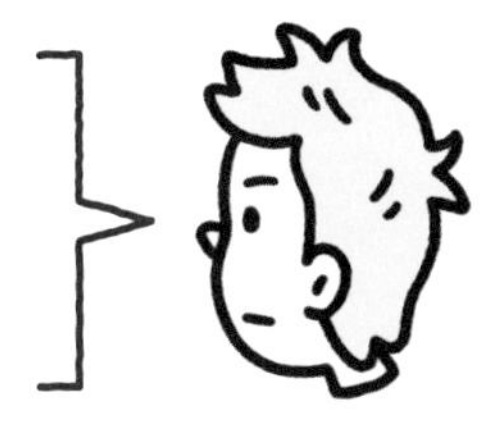

都合のよい肯定的な関係性の強化

SNSは、自分とよく似た意見や思考、趣味を持つ人々との限られた“肯定的な関係性”を強化する効果があります。このような効果、現象はエコーチェンバーと呼ばれます。

エコーチェンバーが進行すると、反対意見が無視されたり敵対視されたりすることもあります。

エコーチェンバーに陥らないために

同調する傾向が強いといわれる日本人は、エコーチェンバーに陥る可能性が高いといわれます。特に、仲間でグループを作っているSNS内は同種の意見に大きく偏りがちです。

日本人で限られたSNSのメンバーと交流することが多い、など自分が得ることの多い情報源の特性を理解した上で、エコーチェンバーが危惧されるなら、それを心に留めておくことが大切です。そして、意図的に反対意見を探したり、新聞や雑誌、ラジオなどのマスメディアで幅広く情報を集めたりしてみましょう。

7.14

フィルターバブル

見たくない、知りたくないものを遮断する心理

インターネットの世界には、利用者の嗜好や個人情報などから不必要な（見たくない）情報を遮断するアルゴリズムが存在しています。その結果、利用者は“泡”のようなフィルターに遮られて、偏った情報だけを閲覧することになります。これをフィルターバブルと呼びます。

7.15

確証バイアスと偏り

信念を補完する情報も偏って検討する心理

認知心理学や社会心理学では、自分に都合のよい結論に結び付くような情報をより多く、偏って集めてしまう傾向を確証バイアスといいます。

確証バイアスがかかると、客観的な証拠や事実を過小評価するのに対して、自分の信念が確認できる情報を選択的に想起したり、解釈したりします。

このため、Web検索の結果には様々な意見があったとしても、確証バイアスが働き、同じような意見のネットサーフィンを繰り返すうちに、偏った狭い考えに陥る危険があります。

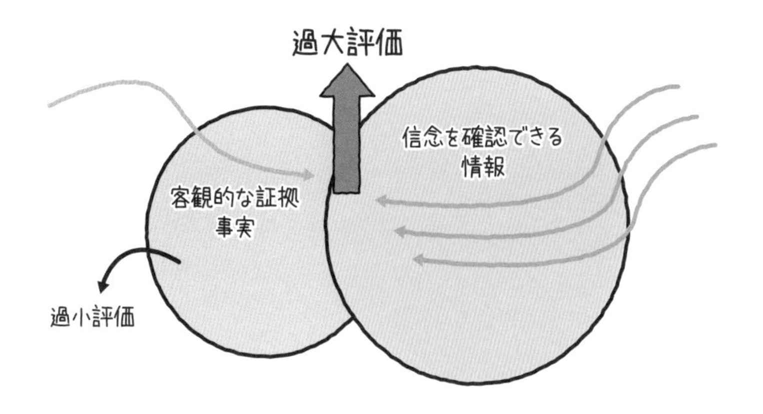

7.16

無責任な誹謗中傷コメント

インターネットでの発言に注意

ニュースサイトや公的なブログ等には、表示されている記事に誰でも簡単にコメントを書き込める機能があります。しかし、ここに個人を名指しで誹謗中傷する書き込みが後を絶ちません。

Yahoo!ニュースでは、2022年10月からコメント投稿時に携帯電話番号の入力を必須化しました。すると、誹謗中傷のような不適切な書き込みが激減しました。

2022年6月に成立した改正刑法では、ネット上の誹謗中傷を減らすことを目的の1つとし、侮辱罪の法定刑が引き上げられました(1年以下の懲役若しくは禁錮若しくは30万円以下の罰金又は拘留若しくは科料)。

SNSによる誹謗中傷も日常的に発生しているというアンケート結果もあります(https://www.yomiuri.co.jp/national/20220513-OYT1T50018/)。誹謗中傷が疑われる記事やコメントを見たら、本人でなくても運営会社等に報告しましょう。

▼侮辱罪の事例（インターネット関連）

インターネット上の掲示板に「〇〇（地名）に出没する〇〇（被害者経営店舗名）勤務の女尻軽やでなぁ笑笑」などと掲載したもの。
インターネット上の掲示板に「母親が金の亡者だから、稼げ稼げ言ってるらしいよ！　育ててやってんだから稼いで金よこせ！　って言われてんじゃないかしら？」、「子供達しょっちゅう施設に入ってたらしいよ」などと掲載したもの。
インターネット上の掲示板の「〇〇（被害者経営店舗名）って？」と題するスレッドに、「〇〇（被害者名）は自己中でワガママキチガイ」「いや違う〇〇（被害者名）は変質者じゃけ！」などと掲載したもの。

出所：法務省HP（https://www.moj.go.jp/shingi1/shingi06100001_00025.html）より

7.17

SNSでもハラスメントはダメ!

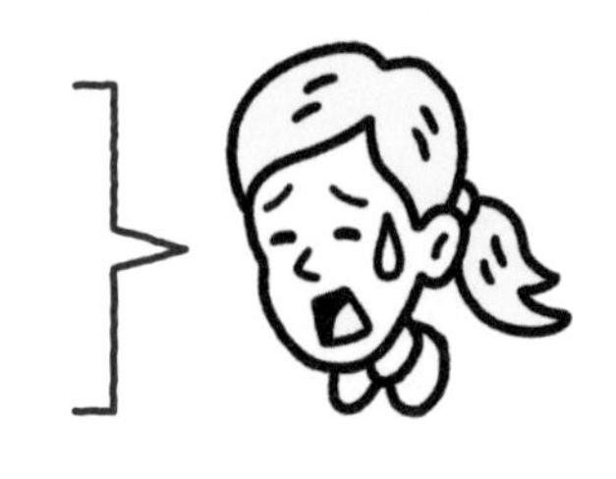

嫌がらせに使わない

差別的で先鋭的であっても、特定の個人や組織への執拗でいわれのないものでない限り、そのような主張も自由です。自由主義国のネット社会では、どのような主張のコンテンツも基本的には公表できると考えられます。

しかし、社会全般に向けた主張ではなく、それが特定の個人や組織に向かった場合には、ハラスメントとして扱われることがあります。「ハラスメント」とは、元は「嫌がらせ」を意味する語句ですが、「いじめ」と似ています。している側が自覚しているかどうかは別として、されている側が「自分はこの人にいじめられている（嫌がらせを受けている）」と思えば認定されます。通常はハラスメントの分野を説明する語句を足して、「○○ハラスメント」（例えば「セクシャルハラスメント」）と表され、「○○ハラ」と略すこともあります。

LINEなどを利用して、特定のグループを作った場合には、グループ内の関係性においては、性的ないやがらせ（セクハラ）やパワハラが発生することがあります。たとえ個人としてミソジニー（女性蔑視）の意識やフェミニスト（女性の格差や不平等に反対する人）への反感を抱いていたとしても、一般的なSNSなどの小グループ内では偏らない適切な言動を心がけましょう。

▼セクハラチェックリスト

- □ 可愛い子にはラクな仕事を担当させたいと思う
- □ 女性の身体的特徴を話題にする
- □ 食事やデートにしつこく誘う
- □ 職場でも性的な話題も時には必要だと思う
- □ 短いスカートや胸元が開いたブラウスはセクハラの原因だと思う
- □ 性的な冗談は女性も喜んでいると思う
- □ 宴会でのハダカ踊りは誰が見ても楽しいと思う
- □ お酒のお酌やカラオケでのデュエットを執ように誘う
- □ 女性の身体をじっと眺める
- □ 体調の悪そうな女性に「生理日か」などと言う
- □ 女性の肩に手を触れるのはスキンシップである
- □ 雑誌のヌード写真を他人に見せることがある

出所：平成22年度人権啓発ビデオ活用手引き（https://www.moj.go.jp/content/001221574.pdf）より

7.18

個人間取引の注意点

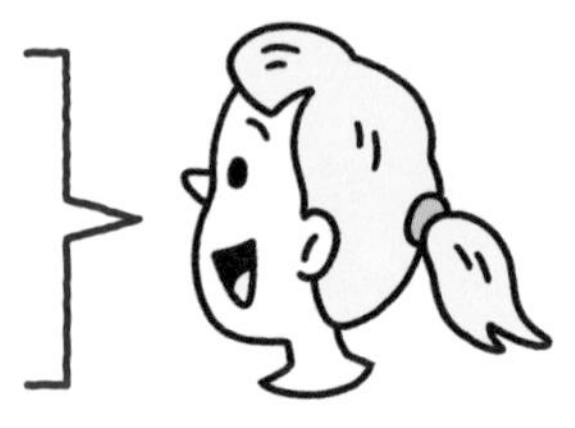

品物を確認してから代金を払う

メルカリやジモティー、Yahoo!オークションなど、物品の取引を行うことのできるネットサービスでは、個人が直接会って物品をやり取りすることもできます。物品をやり取りする場所は、自宅でなくてもよく、通常は売る側に近く人通りも比較的多い、スーパーの駐車場などが選ばれます。実際に物品を確認してから代金を払うため、配達途中に破損したりネットに載っていた写真と違ったり、といったトラブルはありません。

物品を郵送や宅配などで送る場合には、できるだけ配達履歴の残る方法で送るようにしましょう。当事者同士で品物と代金のやり取りをせず、サービス運営サイトが仲介する場合は、物品を受け取った旨の連絡をオークションサイトにするまでは、相手に代金が払われないので比較的安全です。

ネットショッピングでは、信用できるサイトで、実績のあるショップを選択することで、安全・安心なネットショッピングをすることが可能です。これらと比較すると、個人間取引は、偽物や傷物をつかまされる危険性も増えます。このハラハラ、ドキドキを含めてネットショッピング、ネットオークションを楽しむといった余裕が持てるとよいでしょう。

7.19

出会い系サイト

個人情報がしっかり守られるサイトを選ぶ

様々な出会い系サイトがありますが、登録者に"サクラ"が多かったり、売春希望者が多かったりするサイトは利用しないようにしましょう。怪しげなサイトにアカウント登録すると、後日、同じようなサイトを紹介する迷惑メールがいくつも届くようになります。アカウント登録に使用したメールアドレスや地域、年齢、所得などの個人情報が、勝手に流用されたためです。

真剣に将来のパートナーを探そうとするなら、実際に出会い系サイトでパートナーと出会えた友人や知人などの話を聞いて、慎重に出会い系サイトを選ぶようにしましょう。

真剣な出会いができる出会い系サイトを選ぶには

結婚相手を探すなどのために、信頼できる出会い系サイトを選ぶポイントは「実績」です。

実績のあるところは、堂々と会社を構えて営業を行っています。電車や駅、雑誌などに広告を載せたり、会社の所在地や経営者、経営方針、財務状況などの情報をホームページに載せていたりします。

7.20

消像権って何？

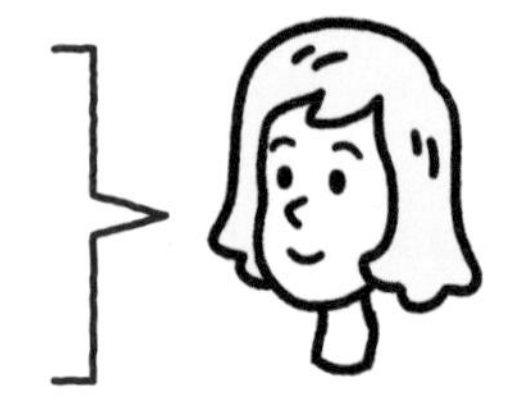

自分の写った写真を勝手に公開されないための権利

消像権自体の法的な規定はありませんが、一般には、みだりに自分の消像や全身の姿を撮影されたり、撮影された写真をみだりに公開されたりしない権利とされています。

そこで、人の写真をネット上に公開する場合は、本人の承諾がなければ、顔にモザイクかけたり、ぼかしたりするようにしましょう。

消像権の侵害には当たらない

本人の承諾がある場合は消像権の侵害には当たりません。このほか、消像権侵害の疑念を避けられると考えられるのは、右に列挙したような場合です。ただし、消像権については民事上の人格権や財産権の侵害の観点で判断されている経緯があり、社会の発展具合によって変化する可能性があります。

- 人物の特定が容易にはできない場合
- 公の場所で公の行動をしている人物の場合
- 人物に不利益とならない場合

7.21

写真に写っている友人の肖像権

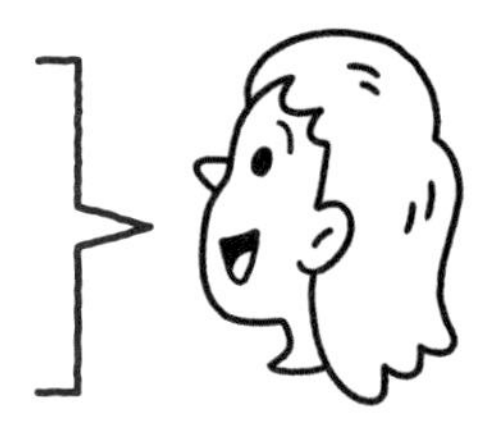

友人から、「自分が写っている写真は公表しないで」と言われたら

友人といっしょに旅行に行ったときに何枚かの写真を撮りました。その写真をSNSにアップしようとしたところ、友人から「自分が写っている写真は公開しないでほしい」と言われました。公開できないのでしょうか——。

写真の価値が「その友人が写っていること」に大きく関係しているような場合、例えば、友人が公務に関わる役職で、その人が地位や職務に影響するような姿態で写っているような場合に、友人がこの写真の掲載を拒否したなら、写真を公表するとパブリシティ権を侵害する可能性があります。友人が有名人でなくても、その人本人だと特定できるような写真であれば、公表することで肖像権を侵害する恐れがあります。

友人の写っている写真によって、友人のプライバシーが暴露されるなど、プライバシー権を侵害することもあり得ます。

写真に写っている友人の肖像権

友達が撮影した写真を勝手に使ってもいいの？（著作権と肖像権）

撮影した友達に写真を使うことを伝えて、許可をもらいましょう。なぜなら、撮影した人が写真の著作権を持つため、勝手に使用することはできないからです。

また、もし写真にほかの人も写っていれば、それぞれが肖像権を持つので、写真を使用することへの同意を得る必要があります。

なお、著作権や肖像権の及ぶ範囲は、原則としてそれらの権利を持つ人が住む国および条例等により保護対象になっている国となります。

Android／iPhone共通

7.22

著作権って何？

自分の創造した著作物に対する権利

著作権は、著作者がその著作物に対して独占的に持つことのできる権利です。著作権は、著作者によって著作物が作られた瞬間に自動的に発生します。

著作権保護と著作物の公正な利用確保を目的としたのが「著作権法」です。著作物の種類には、次のようなものが挙げられます。小説、論文、翻訳、楽曲、歌詞、踊り、美術物、建築物、地図や図面、映画、アニメ、写真、プログラム、データベースなど。

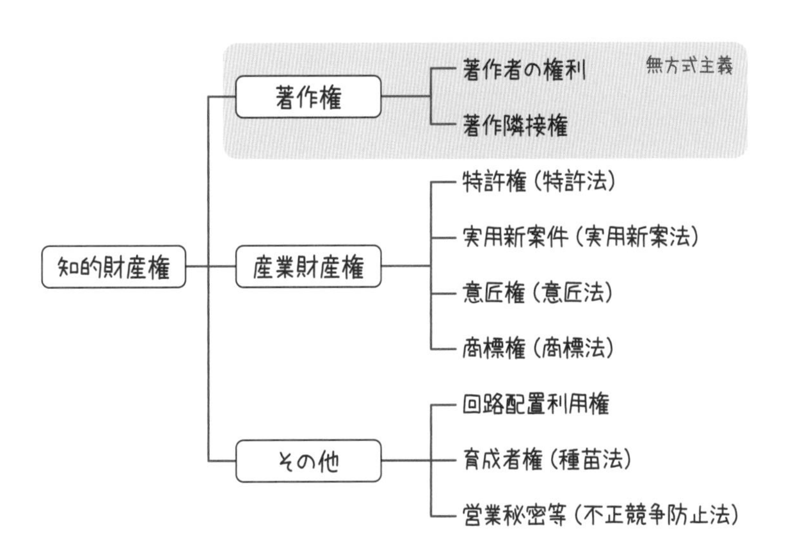

7.23

海賊版サイト

他人の著作物を無断で公開している違法なサイト

ネット上にアニメやゲームといった人気のあるコンテンツを複製して陳列したサイトを、海賊版サイトといいます。海賊版サイトのコンテンツでは、著作者に著作権料が入りません。2016年に開設された海賊版サイトの「漫画村」は、2019年に閉鎖しました。その間の被害総額は3000億円を超えるといわれています。CODA（コンテンツ海外流通促進機構）の2022年の推計では、国内の海賊版サイトによる被害額の総計はおよそ2兆円にのぼります。

海賊版サイトを利用して、違法に陳列されているコンテンツを利用すると、著作権法で裁かれる可能性があります。

割れ

ネットスラングで割れは、違法にゲームを入手することを指します。これは、英語で同じ意味のスラングである「warez」（「Software」を分割した「ware」を複数形にしたものから変化したといわれています）を日本語（ローマ字）読みしたものです。

7.24

引用と転載の違い

引用や転載には一定のルールあり

ブログで発表する記事内に、他人の著作物である文章や図などを載せることがあります。これは引用といい、一定のルールに従えば認められています。引用は、あくまでも自分の著作物（例えばブログの記事）の内容や主張を強化するために行うことになっています。

これに対して、自分の著作物の核心の部分を、他の人の著作物をそのまま使って表現した場合には、著作権の侵害となります。このように、他の人が公表したSNSやブログの文章・画像をそのまま自分のブログに複製するのが転載です。転載する場合は、著作者の許可が必要です。

コンテンツの種類によっては、無断転載とならない場合もあります。創作性のない表現、事実の伝達にすぎない雑報や時事の報道、プログラム言語やプロトコル、アルゴリズム、法律や裁判の判決、著作者の死後70年以上を経過した著作物、公表後に70年を経過した映画の著作物、実験データや時刻表、推理小説等のアイディアなどは、著作権法の保護対象ではないので、転載が自由にできます。

7.25

迷惑動画の罪と賠償金

店などのイメージダウンには多額の損害賠償の可能性がある

SNSに迷惑動画を投稿した、ある事例では、店側はこのような迷惑行為を「犯罪」としています。店によれば、模倣犯がなくなることを期待して被害届を提出し、それを受けて容疑者が逮捕されました。この例では、逮捕の容疑は威力業務妨害でした。また、事例によっては器物破損が成立する可能性もあります。

これらの刑罰としては、3年以下の懲役、または50万円以下の罰金、もしくは科料が科されます。さらに、民事訴訟によって損害賠償や慰謝料を請求されることもあります。

7.26

マナーモード振動への配慮

振動による音が大きくならないように配慮しましょう

スマホを会社のデスクに置く場合、通常、マナーモードにします。マナーモードは、電車やバスの車内だけではなく、会社のデスク、大学の講義中、美容院のミラー前、レストランのテーブルなど、短くてもある時間滞在する場所が公共性の高い場所の場合に使います。

マナーモードでは、電話がかかってきたり通知があったりしたときに、音を鳴らさずにスマホを振動させることができます。着信音は鳴らさなくても、いきなり振動するので周囲を驚かせる場合があります。振動することで、スマホ本体が机の上で細かく跳ねて音を大きくするのです。そこで、マナーモードで振動を選択しているときには、本体をハンカチにくるんだり、机との間にスポンジ状のものをはさんだりするとよいでしょう。

裏技 電話の着信音を瞬時に消す（マナーモード） iPhone

マナーモードにすることを忘れて、会議や電車に乗っているときに電話がかかってしまい、着信音が鳴り響くことがあります。

すぐに着信音を消したいときは、本体の「+」あるいは「−」の音量ボタンを押したり、「電源ボタン」を押すと、iPhoneの着信音が消え、同時にバイブレーションもオフになります。

iPhone

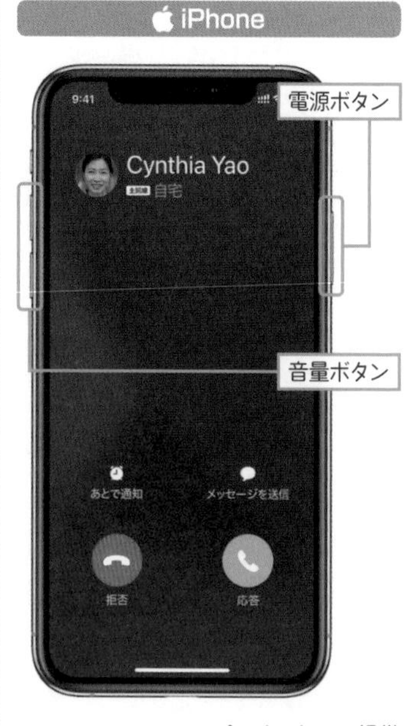

Apple Japan提供

7.27

ノマドのマナー

店に嫌がられないように

ノマド（nomad）は、時間や場所にとらわれずに働くスタイルです。ノートPCを持って、カフェや図書館を渡り歩いて仕事をしている人たちは、ノマドをしているノマドワーカーといいます。

ノマドワーカーは、公共の場や飲食店などを仕事場にすることが多く、その場に応じたマナーが求められます。基本的には、その場所のルールに則って利用することになりますが、飲食店など無料では利用できない場所のノマドでは、その場に応じたマナーが要求されます。店側に嫌がられるような利用はよくありません。端的にいえば、店側の営業活動に障るような使い方をしていないかどうか、確認することが必要でしょう。400円のコーヒー1杯で4時間、座席とテーブルを占有するのは、セーフでしょうか、アウトでしょうか。一般的な常識として、どれくらいの時間なら1杯のビールでセーフなのか、まさに、個々の価値観が試されるのかもしれません。

7.28

ワーケーションのマナー

仕事と休暇の区別をつける

ワーク（仕事）＋バケーション（休暇）をワーケーションと称し、リゾート地などに身を置いて心身をリフレッシュさせながらリモートワーク形式で仕事をします。単純なリモートワークが自宅（住居地）を仕事場にするのに対して、ワーケーションは自宅から離れた観光地やリゾート地に2日～数日程度滞在します。このため、ワーケーション時に注意しなければならないビジネス上のマナーは、リモートワーク時のものと重なります。

1つ目は、仕事時間とそれ以外の時間の区別をつけることです。これは、他人から見てもわかるように区別されることが望ましいです。時間帯によって分けられるとベストです。2つ目は、仕事の内容も明確に分離できるようにすることです。リモートワークと同様、副業をすることは容易になります。このため、自律的に本業と副業の区別をつけることが望まれます。3つ目は、休暇部分（プライベート部分）の報告やSNSへの投稿に気を遣うことです。楽しいからといって、休暇部分を強調しすぎることなく、バランスをとるようにしましょう。

7.29

SNS をビジネス連絡用に使うとき

ビジネスで使う条件を決める

離れた仕事相手（同僚を含む）への連絡方法は、いくつかのレベルがあるとするならば、上から「電話」＞（「FAX」）＞「メール」＞「メッセージ」「SNS」となるでしょう。しかし、効率・スピードを基準にすると、この順番は逆になるでしょう。つまり、SNSを仕事で使うことも、場合によっては“あり”です。しかし、SNSを仕事で使うにはまだまだハードルがあります。そこで、SNSをビジネスに使う条件として、次のことをクリアした場合としておきましょう。

①ビジネスの相手がSNSでの連絡を希望している。
②自分の上司がそれを承諾している。
③SNSでの連絡の結果を報告するルールが決まっている。

まず、こちらから切り出すのではなく、あくまでも相手がSNSでの連絡を希望しているということです。さらに、会社としてSNSでの連絡のやり取りを認めていることです。さらに、そのやり取りの途中経過や結果を上司等に報告するルールが作られていることです。メールの場合には、相手とのやり取りを「CC:」や「BBC:」によって容易に上司等に報告できますが、ＳＮＳにはそのような機能がありません。そこで、例えば「スクリーンショットを送る」といったルール作りが必要になります。

さて、SNSでの仕事相手とのやり取りができるようになったとして、個人同士でチャット形式のSNSをするときには、メールとのシステム上の違いを意識するようにしましょう。

ビジネスでSNSを使うときの注意点

- 文章は短く(しかし、失礼にならないように)
- 文書の終わりの署名は不要
- 絵文字やスタンプは不要
- 華美ではない必要最低限の装飾はOK
- 添付書類が大サイズ/多数の場合は、オンラインストレージにアップロードして、共有リンクを貼っておく

LINEをビジネスに使うなら

LINEを本気でビジネスに利用するなら、LINEの「L Message」(エルメ)を検討するとよいでしょう。機能や規模に応じて無料から月額33,000円までのプランがあります。

エルメでは、LINE用のフォーム、チャット、メッセージ配信、カレンダーや予約などのほか、データ分析機能まで用意されています。

7.30

スマホのホーム画面の整理整頓

スマホのデスクトップは仕事場

整理整頓されたデスクは、“仕事ができる人”のひとつの表れとの見方があります。同じように、「スマホのホーム画面にどんなアプリがどのように配置されているか」には、持ち主の“人となり”が自然に表れます。

他人がどのようなスマホを持っているのか、そのホーム画面の背景画像は何を使っているか、アプリは何か、どのように配置されているか、などけっこう気になるものです。

個人の場合、スマホは私服やバッグなどと同じように個性を主張できる持ち物の1つです。背景画像やアプリの配置にも気を遣っていることでしょう。

会社のスマホの場合には、過度な個人的カスタマイズはやめておきましょう。それよりも、効率よく、よい仕事をできるアプリが入っていて、それらがどのように配置されているか――それこそが、会社のデスクトップの使い方に相当する視点です。

一般的には、WordやPDFビューワーなどの文書を扱うアプリ、オンラインストレージアプリ、メールやSNSなどのコミュニケーションアプリ、スケジュールやToDoアプリ、さらにグループアプリが簡単に起動できるように配置されているかがどうかポイントになるでしょう。英会話アプリやビジネス検定アプリがさりげなく配置されていれば、上司に対するアピールになるかもしれません。

ゲームやInstagram、音楽アプリ、テレビや映画アプリなどのメディア関連アプリは、娯楽として使っているのでなくても、2画面目以降に配置しましょう。

ビジネスで写真を仕事場面で見せることがある場合にも注意が必要です。写真管理アプリを開いたときに、ビジネス用の写真と個人的な写真がはっきり分けられていることが大切です。会社のスマホには、個人的な写真は保存しないのが基本ですが、取引先の相手との飲み会等の写真など個人写真と見間違えそうな写真も、簡単に見えてしまわないよう注意しましょう。普段から、撮った写真はすぐに分類または削除しておくようにしましょう。

スマホの1画面目に音声録音アプリがあるのは、よくありません。闇バイトで使用されることのあるチャットアプリの「Telegram」がインストールしてあるなら、2画面以降に移動しておきましょう。

第8章

スマホと健康の関係

スマホという精密電子機器を使うと、身体の健康にどのような影響があるのでしょう。どのように使えばよいのでしょう。

8.1

スマホと視力の関係

スマホ使用で目は疲労する

スマホの使いすぎは、目を悪くします。長い時間、比較的近距離(20cmほど)のスマホの画面を見続けると、目の焦点を調整する毛様体筋が収縮し続けなければならなくなります。これでは、筋肉が凝り固まったり、疲労がたまったりします。

さらに、スマホは携帯できるため移動しながら操作することがあります。自然にスマホと目との距離が変化するため、焦点調整のため毛様体筋は忙しく働くことになります。

このように毛様体筋を長時間、緊張させ続けると、視力が低下することが知られています。毛様体筋を緩めるために、時々、遠方をぼーっと見たり、手や足の筋肉と同じように目のストレッチをしたりするのがよいでしょう。

●遠くを見ているとき
毛様体筋がリラックス
水晶体
毛様体筋
(ピント調整筋)
水晶体は薄くなる

●近くを見ているとき
毛様体筋が緊張
緊張状態が続き
疲れ目の原因に
水晶体は厚くなる

8.2

スマホ老眼、スマホ内斜視とは

スマホ画面の見すぎによる目の症状

スマホ老眼は、スマホの画面を見続けることで、目の焦点調整を瞬間的にできなくなり、年齢を重ねると起きることのある“老眼”と同じような症状になることです。40代で増えています。

スマホ老眼を予防・改善するには、スマホ画面を見続けることで起こる目の筋肉の凝りをほぐすようにします。遠くと近くを交互に見たり、目をぐるぐる回したりする目のストレッチが効果的といわれています。

スマホ近視は、スマホ画面の見すぎで模様体筋が凝り固まった状態です。1時間に数分間、意識的にスマホを触らない休憩時間を設けるようにしましょう。

「スマホ内斜視」は、スマホ画面を近距離で長時間見続けることで起こる、“スマホの寄り目状態”です。10代や20代で増えているといわれています。スマホ内斜視では、通常の景色などを見たとき、景色はダブって見える（複視）という感じではなく、ボーっと見えるなどの症状として認められることもあります。寝転んでのスマホ使用は、特にスマホとの距離が近くなります。

以上のようなマホが原因の目の諸症状は、スマホの長時間使用や不適切な状態での使用による場合が多いようです。スマホを使用する日常の生活習慣から見直すようにすることが大切です。

ブルーライト軽減モード

ブルーライト軽減モードは、スマホ画面のブルーライトを軽減する機能です。「夜間モード」とも呼ばれます。Androidの場合、「設定」➡「ディスプレイと輝度」➡「夜間シールド」を選択。iPhoneの場合、「設定」➡「画面表示と明るさ」➡「Night Shift」をオンで設定します。

なお、昼間でも見やすくなる「ダークモード」にした場合も、ブルーライトは軽減されます。ダークモードでは、モニター用のバッテリー消費量も減らせます。

8.3

スマホとブルーライト

寝る直前のブルーライトには注意

ブルーライトは、可視光線（380〜780nmの波長）の中の青色寄りの光（380〜500nm程度の波長）です。ブルーライトには、人の体内時計を整える働きがあることが知られています。スマホの画面やPCのモニターからもブルーライトが出ています。スマホを夜寝る前に見続けると、体内時計が狂う危険性があります。

▼ブルーライトの影響を緩和するには

◆スマホの不要使用を減らす 「時間つぶし使用」「なんとなく使用」など不要な使用をしない。
◆スマホの使用時間を減らす 連続して画面を見続けず、1時間に1回程度は目を休憩させる。
◆使用時はスマホ画面から適切な距離を保つ 画面に目を近づけすぎないようにする。
◆適切な光の環境でスマホを使用する スマホは明るい部屋で使用する（画面の明るさを抑える）。明るい戸外で使用するときには、画面がより明るくなる設定がオンの場合、長時間の使用は控える。画面外からの光の反射を軽減するノングレアフィルムも有効。
◆画面をダークモードにする スマホ画面の設定ページなどの背景を黒色に、表示文字を白色にすることでブルーライトを減らすことができる。

便利技 夜間はブルーライトをカットする（ブルーライト）

ブルーライトを軽減する機能として、Androidには「リラックスビュー」という機能があり、iPhoneには「Night Shift（ナイトシフト）」という機能があります。

Androidでは、❶設定をタップ➡❷ディスプレイ➡❸詳細の設定➡❹リラックスビューをタップ➡❺「今すぐONにする」をタップします。

iPhoneでは、❶画面を上から下へスワイプ➡❷コントロールセンターの画面の明るさを調整する部分をロングタップ（長押し）➡❸「Night Shift」アイコンをタップします。

Android

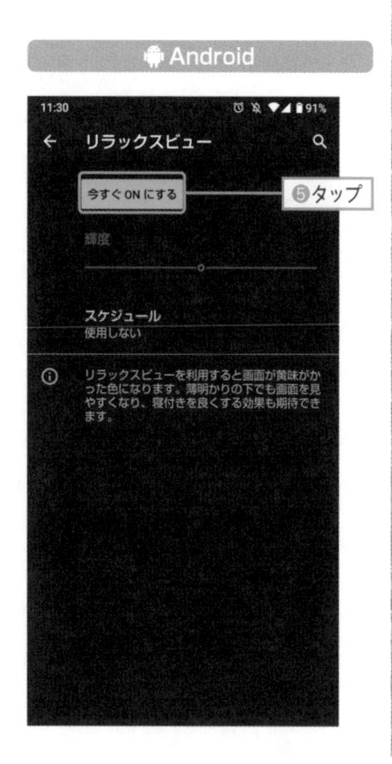

iPhone

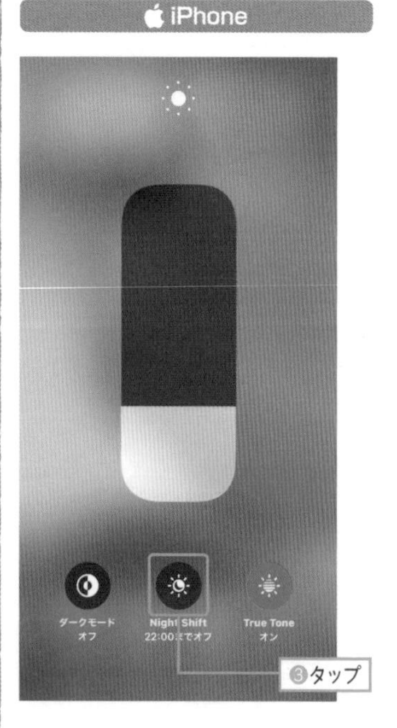

8.4

ゲーム依存に特有の症状

依存症とは、特定の物質や行為に対して、“やめたくても、やめられない”状態になる、心（脳）の問題です。WHO（世界保健機関）では、「ICD-11」（国際疾病分類第11版）において、ゲーム依存症（ゲーム障害）が疾病として認定されました。

これによると、①ゲームをしているときに自制できないと感じる、②日常生活上の関心ごとよりゲームを優先してしまう、③ゲームのやりすぎで日常生活や仕事などに問題が生じているのにやめられない――といった点がゲーム依存症の特徴とされ、1年以上継続している場合に診断されます。

「DSM-5」（精神疾患の診断・統計マニュアル第5版）には、ゲーム障害（インターネットゲーム障害）に特有の症状が7項目挙がっています。

ゲーム依存度のチェック

下表の項目の5つ以上が12カ月の期間内で起きると、ゲーム依存症が疑われます。ただし、この基準についてはエビデンスが不十分だという指摘もあります。

▼ゲーム依存チェック表

1	ゲームのことが頭から離れない。	□
2	ゲームを始めるとやめらなくなる。	□
3	ゲームをする時間がもっと欲しいと感じたり、もっと高価なゲーム機器が欲しくなったりする。	□
4	ゲームを規制されると、イライラしたり気力がなくなったりする。	□
5	ゲームをすることが生活上の最優先事項になる。	□
6	ゲームによる悪影響が明らかなのに、まだゲームを続ける。	□
7	ゲーム障害と診断され、ゲームをしばらくやめていても、再開するとすぐに元の状態になる。	□

8.5

スマホ依存症

依存症の一般的な特徴

スマホ依存症は、現在は精神疾患とは認められていません。しかし、現実に“自分の意志でスマホをやめられない”人が増えています。

依存症（アルコール、薬物、ギャンブルなど）の特徴には、次のようなものがあります。

依存症の特徴

- 得られないと不安になりイライラする。
- 依存対象への接触を繰り返し、一般には頻度（量）が増していく。
- 依存対象に異常なくらいに執着する。
- 自身がコントロールできなくなる。
- 頭痛や吐き気、発汗など、心身の健康を害する。

スマホを対象として、以上のような特徴のいくつか、あるいは全部が現れている場合、スマホ依存症といえるかもしれません。

8.6

スマホ鬱（うつ）って、どうして？

スマホがストレスになっていませんか？

スマホは自分の好きな時間に好きなように使えるイメージがあって、スマホを使って鬱になるなんてことはないのでは？　と思うかもしれません。

スマホの過剰使用は、脳に負担をかけ、疲労させます。その結果、記憶力や判断力の低下、意欲の減退が起きることがあります。これが不眠症や生活リズムの不規則化につながり、いつの間にか鬱症状が現れます。

また、SNSやブログなどで「いいね」を得ることに快感を覚え始めたころ、悪い評価が続いたり、人格を傷つけるような酷い書き込みがあったりすると、精神的に大きなストレスを受け、その結果として鬱になることもあります。

スマホ鬱を防ぐには、スマホの使用時間を制限したり、SNS使用のルールを作ったりして、スマホでのネット使用を適正に行う工夫が必要になるでしょう。

8.7

スマホ依存からの回復

回復には周囲の助力が必要

スマホ依存の状態から、そうなる前の、「スマホはほどほどに使う」状態に回復することは可能です。ただし、回復のためには周囲からの“助け”が必須です。

いったん、スマホに依存する脳ができあがってしまうと、これを以前のように戻すことは困難だといわれます。できるのは、スマホ依存による困ったことを減らしたり、その強度を小さくしたりすることです。

例えば、「自動車の運転中は人格が変わる」と周囲の人から言われる人がいます。ついつい、乱暴な運転をしたり、スピードを出しすぎたりする人です。助手席に乗った人が、運転手にうまくアドバイスをしたり、運転手の気持ちが和らぐ音楽を流したりすることで、適正な運転に戻していくことができます。このように、運転手の安全性を保つには助手席からの助けを継続することが重要です。スマホ依存からの回復も同じです。回復のための取り組みを継続して行うことが重要で、そのためには周囲からの継続した助けが必須となります。

8.8

スマホ依存の相談先

ひどくなる前に相談

“子供はスマホ依存でしょうか”、“スマホ依存から脱出したい”といった、スマホの使いすぎの悩みごとはどこに相談すればよいでしょう。学生なら、学校の養護教諭やカウンセラーに相談できます。依存度や生活の困り具合によっては、専門機関につないでくれます。

学生以外で公的機関に相談するときは、各地域の保健所が窓口になります。各都道府県に設置されている精神保健福祉センター（東京は3カ所）では、相談から依存症の回復プログラムまで提供しています。精神医学系の病院やクリニックでもスマホ依存を扱うところもあります。依存症対策全国センターは、アルコール依存、薬物依存、ギャンブル依存がおもな対象ですが、依存症に関する様々な情報を得ることができます。さらに、「久里浜医療センター」では、全国のインターネット依存とゲーム障害の治療施設リストを公表しています（https://kurihama.hosp.go.jp/hospital/net_list.html）。

便利技 子供のスマホ使いすぎを防ぐ「スクリーンタイム」 iPhone

子供がスマートフォンを長時間使わないように、使用する時間を設定することができます。

あらかじめ子供のiPhoneをファミリー共有にしておく必要があります(ファミリー共有の設定は、本文179ページの「子供の現在位置を調べる〈iPhone〉」を参照)。

❶「設定」アプリを起動➡❷「ファミリー共有」の「スクリーンタイム」をタップ➡❸子供の名前をタップ➡❹「スクリーンタイムをオンにする」をタップ➡❺スクリーンタイム画面で「続ける」をタップ➡❻休止時間画面でスマートフォンの休止時間を設定します。画面の下方向にある「休止時間」を設定したら「休止時間を設定」をタップ➡❼「コンテンツとプライバシー画面で「続ける」をタップ(利用できるアプリの設定ができるので、必要に応じて設定する)➡❽以上の設定を今後変更するときのパスコード(4桁の数字)を入力します。以降は画面の指示に従って進めてください。

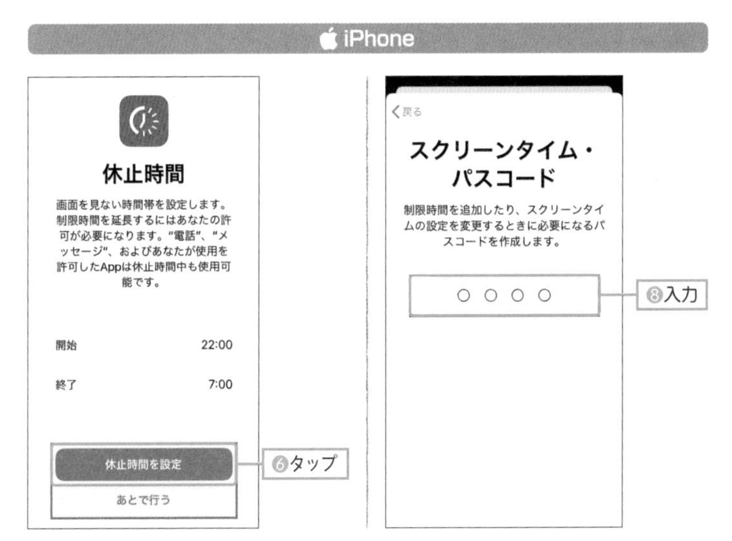
iPhone
休止時間
画面を見ない時間帯を設定します。制限時間を延長するにはあなたの許可が必要になります。"電話"、"メッセージ"、およびあなたが使用を許可したAppは休止時間中も使用可能です。
開始 22:00
終了 7:00
休止時間を設定
あとで行う
❻タップ
戻る
スクリーンタイム・パスコード
制限時間を追加したり、スクリーンタイムの設定を変更するときに必要になるパスコードを作成します。
❽入力

8.9

スマホ使用と学力

適度な使用で学力低下を防ごう

東北大学が行った調査（学習意欲の科学的研究に関するプロジェクト〈2014〉）は、スマホアプリの使用時間が学力低下に影響を及ぼしていることを示しています。このほかにも、子供たちのスマホ使用時間と学力との関係を調査した結果を見ると、「スマホのやりすぎは学力低下を招く可能性が高い」ことが指摘されています。

上記の東北大学によるプロジェクトは、スマホの使用時間は1日1時間以内にするように提言しています。

▼インターネット依存度が高いと進級率が低い

某有名大学の理工学部・社会情報学部大学３年生（792名）進級失敗率
Internet Addiction Test（IAT）
40点以上でインターネット問題使用、70点以上で依存が疑われる

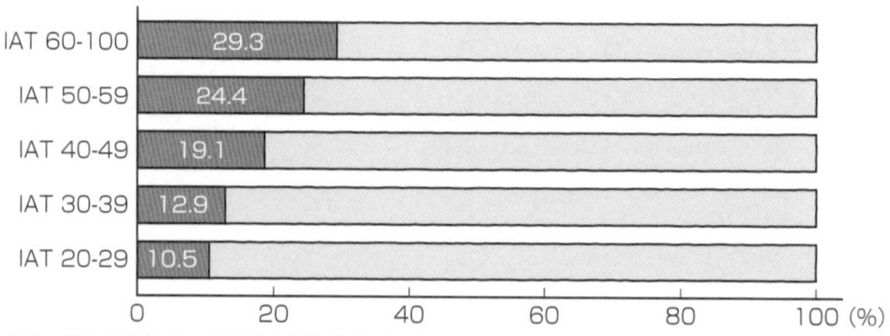

出典：松本さゆりら：大学生の進学失敗リスクとインターネット依存、Campus health 52(1), p356-58, 2015

8.10

スマホによる体力増進・健康管理

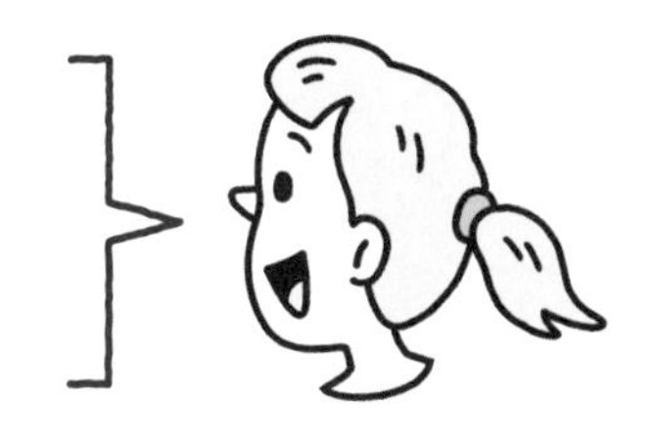

スマホは使い方次第で、体力増進や健康管理に役立ちます。フィットネスアプリは、筋肉増強や減量などの目標値を設定すると、トレーニングメニューを動画などで提案したり、それらの記録を残せたりします。スマホを持ってジョギングやサイクリングを行うことで、走った距離や時間、消費カロリーを記録・管理してくれます。

ヘルスケアアプリ

ヘルスケアアプリでは、スマートウォッチや通信機能のある活動量計とデータ共有をして、体重や体脂肪率、血圧や心拍数、睡眠時間、座って仕事をしている時間、睡眠時間やその質、さらには食事内容までデータ化し、AIによる健康管理アドバイスを受けられるものもあります。

8.11

眠りの質を高めるアプリ

眠りの質を知る

“眠ること”というのは、心身の健康にとって重要な要素です。どれだけ眠るかも大切ですが、眠りの質は時間よりも重要とされます。

眠りの質（眠りの深さ）と眠りの量（寝ている時間）を測定するには、スマホのセンサーやマイクを利用する睡眠管理アプリを使用することができます（7日間程度の無料期間後は有料のものが多い）。

睡眠管理アプリは、寝ている枕元にスマホを置いておくことで、寝返りや寝言を感知して、眠りの深さを測定するようです。

睡眠管理アプリによって、自分の眠りの質や時間がわかってくれば、睡眠改善が必要なのか、足りているのかが数値やグラフで“見える化”されます。これによって、具体的に睡眠の質改善の方策を実行でき、その結果を確認できるようになります。

いびきをかいているかどうか

自分がいびきをかいているかどうかはわかりません。睡眠管理アプリには、いびきを録音する機能を備えているものがあります。いびきの大きさも気になると思いますが、睡眠管理アプリが記録したいびきの間隔や大きさから、「無呼吸症候群」がわかる可能性もあります。その場合は、すぐに病院で診察を受けましょう。

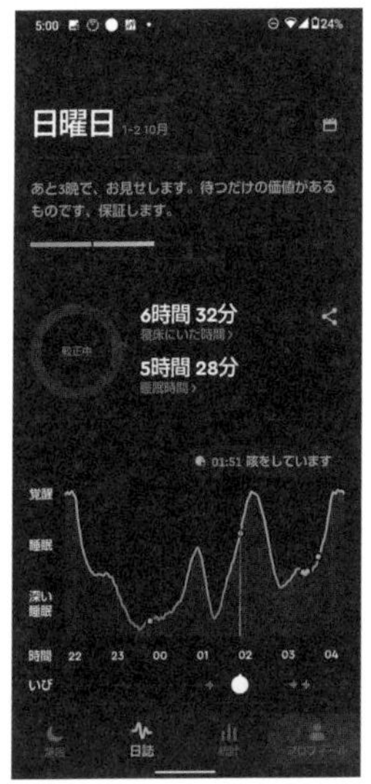

◀睡眠管理アプリ

コラム スマートウォッチで健康を管理する

スマートウォッチには、健康管理に関するいくつかの機能が備わっています。センサーやGPSを利用した万歩計のデータと、ジョギング、自転車などの移動手段から消費カロリーを計算し、それらのデータをリンクするスマホに保存します。

センサーで体温や心拍数、血圧などを測定できるスマートウォッチでは、より詳細な健康管理データを管理できます。就寝時も時計を身につけることで、眠りの質を分析する機能を持ったものもあります。

8.12

電磁波による健康被害への懸念

通常の使用法では健康への影響なし

スマホの機能の1つである電話機能を使用するときは、スマホ本体を耳に当てるため、スマホから出る電磁波が脳に直接、影響を与える恐れがあるとされます。しかし実際には、現在のスマホ本体から出る電磁波は、いずれも周波数がX線などより短く（非電離放射線）、またエネルギー的にも小さいため、生体組織への影響はほとんどありません。

一般に電磁波過敏症と呼ばれるものは、電磁波によって自律神経や皮膚にも起こるとされます。WHOなど多くの専門機関では、電磁波によるこのような症状は認定されていません。

世界中の多くの研究機関による電磁波過敏症の研究では、スマホの電磁波と健康被害との科学的な因果関係は見つかっていません。実際にスマホ使用で何らかの症状が出ている例については、思い込みやほかの環境要因によるものだと結論づけられています。

ただし、ペースメーカーや一部の精密医療機器では、スマホから出る電磁波が影響を与える場合もあるため、使用制限のある場所でのスマホ使用には注意が必要です。

8.13

脳疲労とオーバーフロー脳

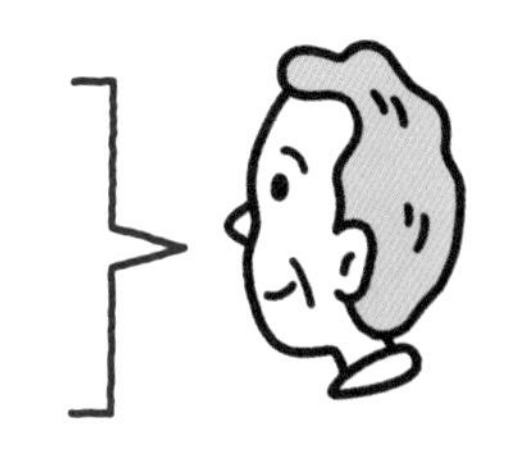

過多な情報で脳が疲弊する

脳疲労は文字通り、脳が疲弊している状態です。原因はいつくもあります。頭脳労働者では、仕事がその原因になることもあります。ここでは、スマホの使いすぎによる脳疲労を取り上げます。

スマホで長時間、情報を得続けると、脳も疲労します。さらに、ストレスがかかると、余計に疲労感がたまります。

脳疲労と同じような脳の状態にオーバーフロー脳があります。脳に大量の情報が流れ込んで、情報処理しきれなくなった脳のことです。

どちらも、様々な情報が大量に流れ込み、脳のキャパシティを超えてパンクしている状態です。これを解消するには、情報を遮断するのが一番です。

8.14

スマホネグレクトとは

“わが子よりスマホ”の親による虐待

スマホネグレクトとは、乳児・幼児が親の保護や欲求充足、関わりを求めて泣いたりしても、親がスマホに夢中になっていて、子供の要求に満足に応えないことであり、育児放棄（ネグレクト）の一種と考えられています。

スマホに限らず、ネグレクトが継続されて育った子供は、「愛着障害」になる恐れもあります。愛着障害とは、対人関係性や情緒の発達に問題が生じた状態で、社会性の獲得や知能の発達にも影響すると考えられています。

スマホネグレクトをしてしまう親は、育児のストレスがスマホ操作への逃避の原因となっている場合があります。このような、親の精神状態が原因で起こるスマホネグレクトを防ぐためには、親の精神を健康に保つことが重要です。

8.15

グループ治療

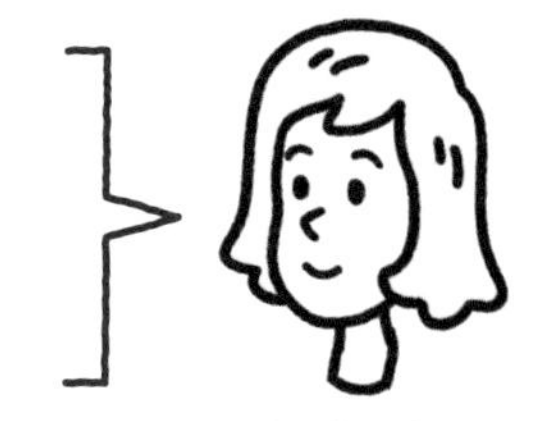

同じ依存症の人たちが集まって行われる治療法

グループ治療は、同じような悩みを持つ人々が集まり、抱えている悩みをグループで話したり、いっしょにカウンセリングを受けたりしながら治療する方法です。グループ療法は、集団心理療法、集団療法、グループセラピー、集団精神療法、グループ・カウンセリングとも呼ばれています。

スマホ依存のほか、スマホ使用に関係した様々な精神的な症状の改善に効果があるとされ、依存症を対象とした「集団治療プログラム」を実施している医療施設もあります。

グループ治療では、同じ悩みを持つ人々が集まっているため、悩みを頭から否定されることがなく、共感による安心感を抱くことができます。その後、治療体験を聴くことで、治療へ向かう道筋を知ることもできます。

8.16

スマホ障害と認知行動療法

複数の治療法を組み合わせる

認知行動療法は、心理的な問題行動に対する治療法の1つです。認知行動療法は、体系化された一貫した療法ではなく、行動療法と認知療法の2つの系譜を起源としています。一般的な認知行動療法では、カウンセリング等を通して、患者自らが問題行動を認識し、問題解決に積極的に関わります。問題行動の改善を検証しながら、次の問題解決のためのステップに移ります。

スマホ障害(スマホ依存、スマホによる身体の不調など)を改善する治療の1つとして取り入れられる場合があります。なお、うつ病や依存症(アルコールや薬物)に関しては、既に認知行動療法の有効性が実証済みです。

8.17

デジタルデトックス（スマホデトックス）

意識してデジタル機器から距離をとる

デジタルデトックスとは、スマホなどのデジタル家電やPCから意識的に離れることで、これらによる様々なストレスから心身を解放しようとする取り組みです。

特にスマホやタブレットは、一日中、携帯したり身近に置いたりしている人が多くいます。このような人たちは、日常的にデジタル端末から得られる情報に過度に頼りがちで、現実の（リアルな）日常から得られるアナログな感覚や、人との何気ないふれあいを得る機会が少なくなっています。結果として、絶えずプッシュされるデジタルな情報に脳は疲弊し、精神はいら立ちます。

このようなストレスフルな環境から抜け出すためには、デジタル機器が身近にある環境を意識的に遠ざけることが効果的だと考えられます。スマホを家に置いて、自然豊かなリゾート地などに身を置き、時間を気にせずゆったりと過ごすのは、スマホデトックスといわれます。スマホデトックスには、スマホ依存など精神にトラブルを感じるほどの場合に行われる治療を目的とした本格的なものから、専用アプリによってスマホの電源が自動的にオフになるといった簡単にできるものまであります。

ネット上のトラブルに関する連絡先

ネット上のトラブルであっても、それが実社会の心身の健康や生活の安全・安定にマイナスに働くことがあれば、実社会の救済などの制度を使いましょう。

個人情報が暴かれ、身に危険が迫るようなときには、すぐに警察に連絡しましょう。プロバイダやサイト管理者にネット上の情報の削除などを要請することも可能です。もし被害にあったなら、法律に照らして損害賠償などを請求することもできます。

	連絡先名称	連絡先URL
スマホの盗難・紛失	警察署　交番	最寄りの警察署や交番
	使用キャリアの紛失物届け係	盗難・紛失サービス
	検察庁　落とし物の届け出・検索サイト	www.npa.go.jp/bureau/soumu/ishitsubutsu/ishitsu-todokedekensaku.html
ネット上の違法行為報告	警察庁　インターネットホットラインセンター	www.internethotline.jp
ネット上の誹謗中傷	誹謗中傷ホットライン	www.saferinternet.or.jp
	セーフライン	www.safe-line.jp
書き込み画像の削除要請	法務省　人権相談	www.jinken.go.jp
ネットがらみのストーカー行為、脅迫	警察	最寄りの警察
	サイバー犯罪相談窓口	www.npa.go.jp/bureau/cyber/soudan.html
ネットでの損害賠償請求	弁護士	ネットで検索して連絡
	法テラス	www.houterasu.or.jp

第9章

シニアのスマホライフ

シニア世代がスマホを使うとき、役立ちそうな話題のほか、世間で起こっているシニア対象の詐欺事案への注意をしています。

9.1

おすすめ！スマホ教室

スマホの楽しみ方の1つとして

携帯キャリア各社では、スマホの初心者に様々なアドバイスやトレーニングを行うためのアドバイザーを、実店舗に配置したりセミナーなどに派遣したりしています。

シニア世代向けに特に限定したセミナーも全国で開催されています。地方自治体でも高齢者向けにスマホの体験会や相談会を開催しています。さらに、健康増進アプリを開発して、普及活動に積極的な自治体もあります。

スマホ教室、行ってみると楽しいですよ。しかも、普通は無料です。

9.2

脳トレアプリを毎日してみる

軽い気持ちで日課のつもりで

　もの忘れがひどくなったとか、計算力が衰えたとか、シニアになると頭脳の衰えを実感することが増えます。スマホを操作すること自体が脳トレにもなります。

　シニア世代向けの脳トレアプリも数多くあります。自分に合うものを選ぶことができます。

▼Lumosity（計算力）

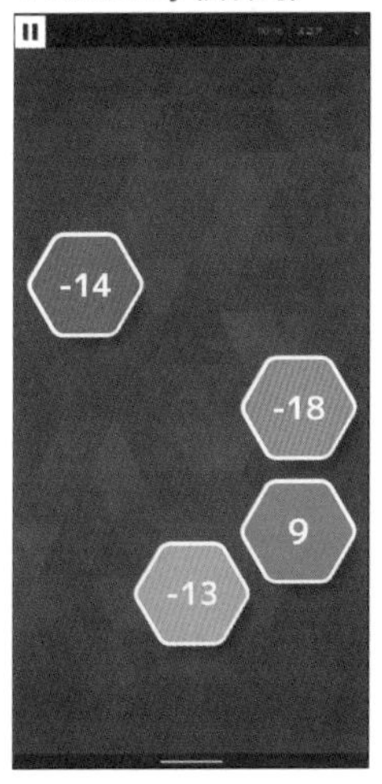

数の小さい順にタップする。計算力や判断力を鍛えられる。

▼Lumosity（記憶力）

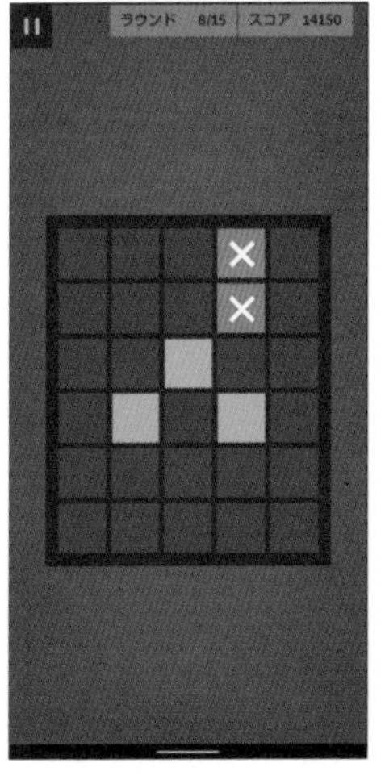

この前に示されていた位置をタップする。記憶力を鍛えられる。

9.3

体のトレーニングアプリ

スマホがトレーナー

既に多くの人が健康増進にスマホを利用しています。スマホアプリには、スマホの各種センサーを使って、歩数やジョギング距離を計測するものがあります。さらに、スマートウォッチには、心拍数、血圧などを計測できるものもあり、それらのデータをスマホに送信し、スマホがデータを分析したり管理したりします。

また、年齢や体格、生活スタイルに応じた運動の種類や回数を提案してくれて、そのやり方を動画などで丁寧に示すアプリもあります。

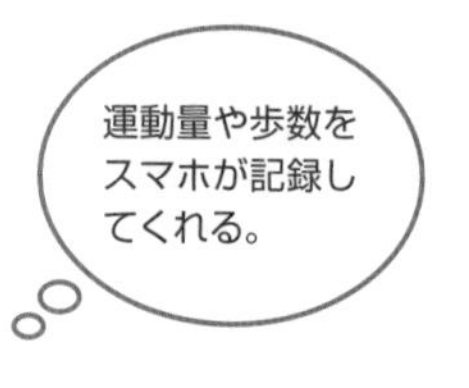

運動量や歩数を
スマホが記録し
てくれる。

◀ AQUOS「エモパー」の画面

9.4

音声入力の利用

音声入力の精度は上がっている

シニア世代は、スマホの小さな画面をタップして文字入力する操作に困難さを感じることがあります。押し間違いや、変換候補の選択ミスで入力をやり直すのは手間です。

検索機能では、スマホの音声入力を利用することができます。検索ワードの入力場所に表示されるマイクアイコンをタップすると、音声入力モードになります。

さらに、スマホの機能を音声で実行することもできます。バーチャルアシスタント機能と呼ばれるAIが、会話の内容を分析して、アプリを実行したり、会話したりできます。

なお、音声入力を使用するときは、周囲の人の迷惑にならないように気をつけましょう。

便利技 文字を音声で入力する（音声入力）

文字を入力するには、文字入力用のキーボードを使う、音声で入力する、などの方法があります。

ここでは音声入力の方法について説明します。

❶キーボードのマイクのアイコンをタップ➡❷音声入力画面になるので、入力する言葉を音声で入力します。

音声入力の画面をタップすれば、キーボードの入力画面に戻ります。

Android iPhone共通

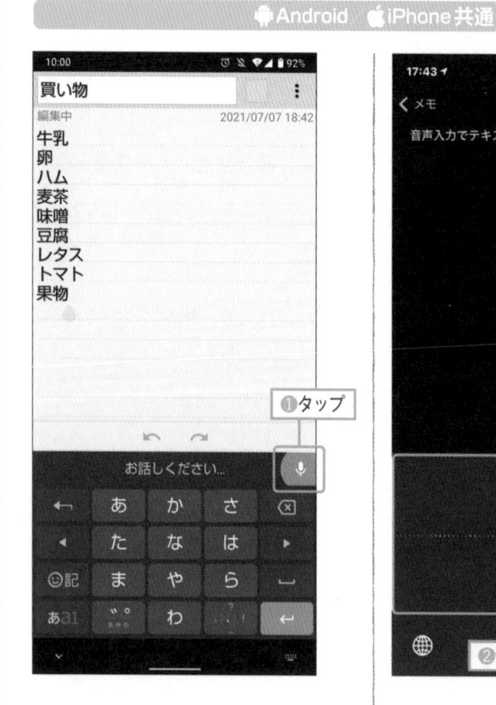

9.5

趣味仲間とのSNS

気の合った新しい仲間ができるかも

シニア世代にとって趣味は、心身の健康を保つのに役立ち、そして生きがいにもなる大切な時間です。スマホは、趣味仲間とのコミュニケーションを広げてくれます。Facebookでは、趣味仲間の趣味以外の行動や人柄などを知ることができます。LINEは趣味仲間同士の気軽な連絡や情報交換に役立つでしょう。X(旧Twitter)は、趣味や人間関係を深めるための情報交換を気軽に行える場所です。

このように、SNSを利用することで、趣味仲間をこれまでのメディアを使うよりも容易に得ることができ、使い方次第では時間や距離の制限をなくすことも可能です。

ただし、SNSでは、同じ趣味仲間といった顔をして、実際には別の目的でシニア世代に接近しようとする人たちもいます。できれば、知り合いの友達や紹介といった身元・素性の確かな人たちでSNSを楽しむ方がよいでしょう。

9.6

デジタル格差への国の取り組み

おもに高齢者において、デジタル格差（デジタルディバイド）が顕在化するようになっています。総務省によるデジタルの利用動向調査によれば、高齢者になると急にインターネット等の利用率が下がります。

デジタル推進委員制度

デジタル庁では、デジタル推進委員制度を創設し、全国各地で行う講習会において、スマホの使用法、マイナンバーやe-Taxの利用法、医療機関へのオンライン予約・診療などを高齢者に指導する講師を養成しています。

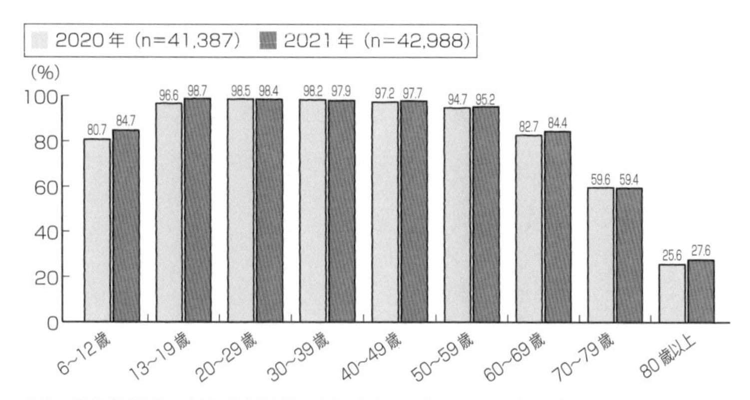

出典：総務省「令和４年版 情報通信白書」デジタル活用における課題（https://www.soumu.go.jp/johotsusintokei/whitepaper/ja/r04/html/nd238120.html）

9.7

シニア世代の機種選び

使いやすいスマホ

シニア世代に向けた特別なスマホは各キャリアから販売されています。docomoのらくらくスマートフォン、あんしんスマホ、SoftBankのシンプルスマホ、auはBASIOなどです。これらのスマホの特徴は、画面の文字やアイコンが大きくて見やすくなっていることです。よく使うボタンが専用ボタンになっている場合もあります。

シニア世代向けのスマホは、人に優しい設計にするため、一般的なスマホとは異なる特殊なデザインや機能を備えていることがあります。この特殊さが、ほかの人に使い方を尋ねるときや、アプリの設定のときなどにデメリットになることがあります。

シニア世代に向けたスマホは機能が制限されていたり、スペックが劣っていたりしますので比較的低価格で販売されています。

NTT ドコモの「らくらくホン・あんしんスマホ」紹介ページ

便利技 中高年向けスマートフォンに仕立てる

通常のAndroidスマホやiPhoneでも、基本設定を見直せば中、高年にやさしいスマートフォンにすることができます。ここではiPhoneで中高年に特化したおすすめの設定を説明します。

● アプリのアイコンを大きくする

❶設定アプリを起動➡❷「画面表示と明るさ」をタップ➡❸「拡大表示」の表示をタップ➡「拡大」を選択します。

● 文字を大きくする

❶設定アプリを起動➡❷「画面表示と明るさ」をタップ➡❸「テキストサイズを変更」をタップ➡画面下の目盛り（スライダー）を右側へスライドさせると文字が大きくなります。

※ウェブページの文字サイズは、設定アプリ➡Safariの「ページの拡大／縮小」で拡大率を設定します。

● 文字を太くする

❶設定アプリを起動➡❷「画面表示と明るさ」をタップ➡❸「文字を太くする」をタップしてオン（緑色）にします。

● 画面が暗くならないようにする

❶設定アプリを起動➡❷「画面表示と明るさ」をタップ➡❸「自動ロック」をタップ➡❹表示する時間を「5分」に設定（タップ）します。

● 画面を拡大する

❶設定アプリを起動➡❷「アクセシビリティ」をタップ➡❸「ズーム」をタップ➡❹「ズーム機能」をタップして「オン」にする➡❺最大ズームレベルのスライダーを調整します。

※2.0倍くらいが適当と思われます。

● ダブルタップの間隔を遅くする

ダブルタップは短い間隔でタップしなければならないので、タップのタイミングが難しいことがあります。

❶設定アプリを起動➡❷「アクセシビリティ」をタップ➡❸「タッチ」をタップ➡❹「タッチ調整」をタップ➡❺「タッチ調整」をタップ➡❻「保持継続時間」の「保持継続時間」をタップしてオン➡❼「0.20秒」などに設定（「−」「+」ボタンで数値を調整）します。

振り込め詐欺への対策

「非通知」は怪しい

振り込め詐欺などと呼ばれる特殊詐欺の認知件数は、2022年度の全国統計でおよそ17500件、被害額はおよそ360億円に達しています。

身内を装い、仕事上のトラブルあるいはミスなどによる損害金の穴埋めや慰謝料を無心する特殊詐欺では、電話番号や声の違いを「電話番号を変えたから」「風邪を引いたから」などの理由でごまかします。また、親族や警察、弁護士などの役割分担をして被害者に信じ込ませる手段も使われています。

電話がスマホにかかってきた場合、通常は画面には相手の名前が表示されます。これは、相手の電話番号とその持ち主が登録さているからです。電話データベースに登録されている場合は、スマホに登録されていなくても、発信元の名前は表示されます。相手の名前が表示されれば、それは詐欺の電話ではない確率が高くなります。しかし、非通知と表示される場合は、相手が身元を隠すために番号を知らせない設定（非通知）で電話をかけている可能性が高いです。つまり、「非通知」の電話は出ない方がいいということです。

留守電機能をオンにして、すぐには対応しない

「何らかの電話番号が表示されたから安全」というわけではありません。知らない人からの電話には、基本は出ない方がよいでしょう。留守電機能が有効なら、後から留守電による録音を再生してから、電話をかけ直せばよいでしょう。

スマホの電話アプリの機能として、これまでかけたり出たりしたことがなくても、相手の会社名などが表示されることがあります。よく知られている会社名でも、すぐには出ずに留守電にメッセージを残させるようにします。さらに、家族や友人にその内容について相談してから、必要があるならかけ直しましょう。相手がどんなに緊急だと言っても、自分だけで判断してかけ直してはいけません。

「老人ホームに入所できます」に注意！

シニア世代を狙った振り込め詐欺の誘い文句で、最近増えているのが、老人ホーム当選詐欺です。

「特別養護老人ホーム（特養）」は、要介護3以上が対象となっています。公的な老人ホームで民間のものに比べて安価に入所できるためか、非常に人気が高く、順番待ちの状況です。

このような状況から、振り込め詐欺に引っかかるシニアが増えていると考えられます。“老人ホームに当選したので、手付金として十万円が必要です”などと電話やメールがあっても、無視するようにしましょう。

9.9

振り込め詐欺が疑われたら

途中でも電話を切る

特殊詐欺が疑われる電話に出てしまったら、または出てからどうもおかしいと思ったら、相手が止めても、電話を切りましょう。

電話を切って冷静になり、できれば近くにいる信頼できる人に相談しましょう。警察でもよいでしょう。

詐欺の電話だと強く疑われる場合は、警察に連絡しましょう。警察に言うことで、あなたに報復などの被害が及ぶことはありません。同じ手口による被害者を増やさないためにも、警察に連絡するようにしましょう。

振り込め詐欺の手口

振り込め詐欺の手口は巧妙です。最初の電話は、公的機関や有名会社を名乗ってかかってきます。この電話は、次にかかってくる“詐欺本体”を正当化するものです。例えば、「こちらは税務署の○○ですが、あなたは税金を払いすぎています。この後、△△銀行の担当者から連絡があります」といった電話の後で、銀行員役から「△△銀行の□□です。税務署から指示がありまして、払いすぎの税金を戻しますので、口座と暗証番号を教えてください」といった具合です。

9.10

振り込め詐欺を防止する訓練

振り込め詐欺を疑似体験しておく

特殊詐欺を疑い、特殊詐欺に引っかからないための方策の1つして、防止訓練があります。

東京都では、特殊詐欺被害防止訓練を行っています。あらかじめ応募した都民に訓練用の偽電話をかけ、騙さるか騙されないかを評価します。

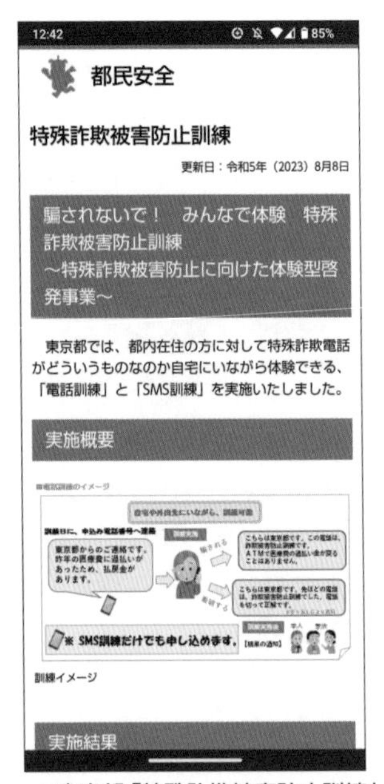

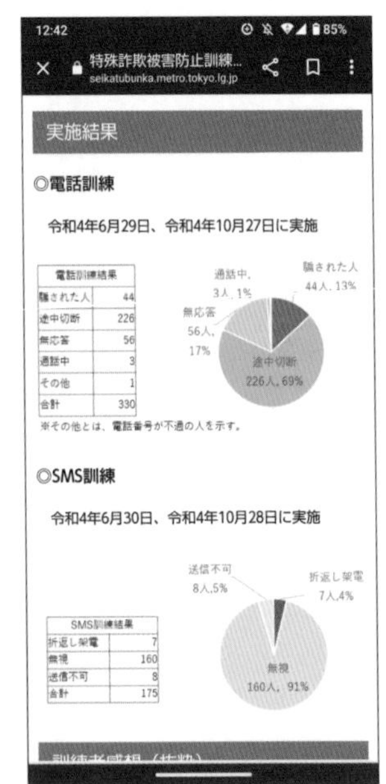

電話訓練結果	
騙された人	44
途中切断	226
無応答	56
通話中	3
その他	1
合計	330

SMS訓練結果	
折返し架電	7
無視	160
送信不可	8
合計	175

▲東京都「特殊詐欺被害防止訓練」実施報告

9.11

スマホのロック解除のパスワード

スマホを持ったら、ほかの人が簡単にそのスマホを使ったり、保存されている情報にアクセスしたりできないよう、スマホを使わないときには画面をロックしましょう。それを解除するためにパスワード（PIN、パスコードなど）を入力するようにするのが一般的です。4桁程度の数字を入力すると、画面のロックが外れてスマホが通常通り使えるようになります。

パスワードの作成を工夫する

非常に重要なパスワードですが、多くの人が「簡単に連想されるような数字の組み合わせ」を使っていることがわかっています。例えば、子供の誕生日、自動車のナンバー、丁目番地の組み合わせなどです。これらの番号は、その人のことを少し知っているなら、容易に推測できるものです。つまり、簡単にスマホのロックを外せることになります。

しかし、4桁の数字であっても、ランダムな数字の羅列では覚えておくのも大変です。簡単には推測できず、しかも本人は忘れないような4桁の数字（PIN）は、どのように作ればよいのでしょう。例えば、誕生日に一手間（簡単な計算）を施します。5月1日生まれとすると「0501」ですが、これに大谷翔平選手のエンジェルスの背番号

「17」を繰り返した「1717」を足して「2218」とします。または、自分の誕生月と配偶者の誕生月をつないで、「0905」(9月生まれと5月生まれ)などとします。

9.12

孫とのコミュニケーションで注意すること

交流できる時間帯を設定しよう

“親しき中にも礼儀あり”と申します。親子の間、祖父母と孫の間でも、マナーを守ってスマホを使うようにしましょう。

孫が学生でも、LINEや電話をする曜日や時間帯は考えましょう。孫の学校のスケジュールを把握しておいて、コミュニケーションをとるようにすることは大切です。離れて暮らす孫と話したいとして、孫が家にいる時間であっても、宿題や習いごとがあって忙しいかもしれません。父母に連絡をとり、いつどれくらいの時間なら大丈夫か、どのような手段がいいのか、などを話し合っておくとよいでしょう。

誰に連絡するか

スマホなどを使って遠くにいる孫と交流しようとするとき、スマホなどで直接、連絡する場合もあるでしょうが、孫と同居している親族を通すこともあるでしょう。祖父母から孫に連絡する場合には、孫の母親を通して連絡するというのが多数を占めています。同じように、孫からの連絡も孫の母親を通して来るのが多いようです。

9.13

スマホを紛失しないために

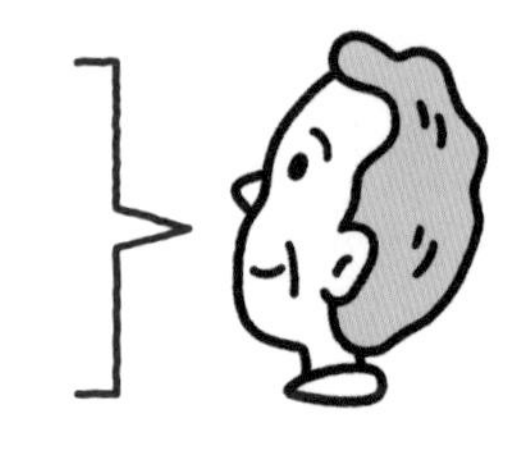

置き場所を決める

スマホを持ち歩くようになると、スマホの紛失が心配されます。家の中のどこに置いたかわからなくなる、という利用者も大勢います。

いつもスマホを置いておく場所を決めることが大切です。家にいるときはなるべく持ち歩くことをやめ、決められた場所に置くようにしましょう。

外に持ち出す場合には、「バッグのどこに入れる」とか「どのポケットにしまう」とかを習慣化しましょう。

外に持ち出したとしても、スマホを落とすることはあまりありません。ほとんどは置き忘れです。喫茶店や食事場所などいつもと違う場所でスマホを取り出し、そのまま置き忘れることが多いのです。いっそ、テーブルの上に置いておくとよいでしょう。

9.14

紛失したスマホ探し

パソコンなどから探す

パソコンなどには、スマホがどこにあるかを探せる機能があります。地図上のどこにあるかがわかります。

スマホを紛失した場合に備えて、スマホを登録しておくようにしましょう。GPSによってスマホの地図上の位置が示されるほか、PCからの操作によって、音を出して場所を知らせたり、スマホ内のデータを消去したりすることもできます。

便利技 自分のスマートフォンがなくなったら(スマホを探す)

スマホをどこに置いたか忘れたり、外出先で紛失したりすることがあります。スマホのバッテリーが切れていると探せませんが、そうでなければ以下の手順で探すことができます。

Androidの場合は、「Googleスマートフォンを探す」を使ってスマートフォンの現在地を調べます。❶パソコン（スマートフォン、タブレットでも可能）のブラウザを起動➡❷Googleの検索ページを開く➡❸探すスマートフォンのGoogleアカウントでログイン➡❹「Googleアカウントの管理」をクリック➡❺「セキュリティ」をクリック➡❻「紛失したデバイスを探す」をクリック➡❼「スマートフォンまたはタブレットの選択」画面で見当たらないスマートフォンをクリック➡❽地図上にスマートフォンの現在地が表示されます（スクロールすれば詳細画面が表示）。

iPhoneでは、iCloudの「iPhoneを探す」を使ってiPhoneの所在を調べます。❶パソコンやほかのスマートフォン、タブレットを使ってiCloudの「iPhoneを探す」のウェブページ（https://www.icloud.com/find）を開く➡❷Apple IDとパスワードを入力➡❸地図上にiPhoneの現在地が表示されます（表示されないときは、画面上の「すべてのデバイス」をクリックして一覧から選ぶ）。

Android

iPhone

第10章

賢く楽しく安全に、
スマホライフ

知っていると得するスマホ使用のチップスを集めました。

10.1

家で使うWi-Fi

Wi-Fiルーターを導入する

家の内部でスマホを使用する場合で、すでに家庭内のPC用にインターネット回線を導入しているのなら、Wi-Fiルーターを追加で設置することを検討してもよいでしょう。Wi-Fi使用の最大のメリットは、データ通信料（パケット代）がかからないところです。したがって、Wi-Fiを使用するスマホやタブレットは無制限で（もちろん、契約している回線事業者やインターネットプロバイダーへの支払いは従来通り発生します）インターネットが利用できます。

スマホを買い替えて残った古いスマホは、家の中のWi-Fiを使ったセカンドマシンとしての使い道があります。データ通信機能は使えないので、電話はできないし、Wi-Fiのない戸外でのインターネット使用はできませんが、家の中のWi-Fiに接続して、インターネットやアプリを使用することは可能です。

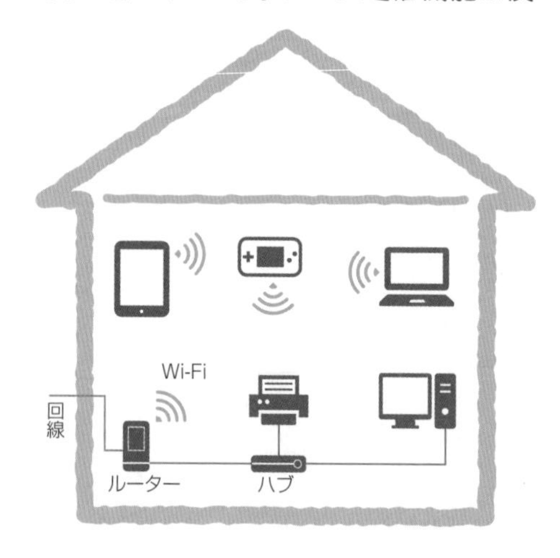

10.2

戸外でWi-Fiを賢く使う

公共のWi-Fiスポットが便利

データ通信の使用料が気にならないなら、Wi-Fiよりも5Gなどの超高速データ通信を利用した方が便利です。一方、契約している料金プランでデータ通信量に制限があるなら、戸外でもWi-Fiを利用したいと思うでしょう。

それには、Wi-Fiに料金がかからない戸外の施設や場所を知っておくとよいです。キャリア各社では、契約者に無料で利用できるWi-Fiスポット（公共のWi-Fiエリア）を提供しています。飲食店やコンビニ、スーパー、飛行場や駅、ガソリンスタンドなど人が集まる場所の多くにも、Wi-Fiスポットが設定されています。

FREESPOTなどは、無料で使用できる公共のWi-Fiサービスです。このようなWi-Fiスポットに接続するためには、簡単なアンケートに答える必要があります（有料のWi-Fiスポットを利用するには、クレジットカードなどからの料金支払いが必要です）。

「戸外で使用可能な公共のWi-Fiエリアの場所を教えてくれて、いったん設定すれば、次回そのエリアに入ると自動でWi-Fi接続する」アプリもあります。

10.3

公共 Wi-Fi を使うときの注意

通信が暗号化されていないことも

戸外で一時的に使用するWi-Fiには安全面で2種類あることを知っておきましょう。すなわち、「家庭内やオフィスなどで使用されるWi-Fiと同じように、暗号化された通信によって内容が保護されるもの」、および「暗号化されなかったりパスワードによる認証が省かれたりしているもの」です。

後者は、Wi-Fiの通知アイコンに鍵マークがついていません。このようなWi-Fiを使用してクレジットカード番号や個人情報を送信するのは危険です。また、長時間使用するとハッキングされる恐れもあります。

10.4

イヤフォンマイクを使うスマホ電話

通話に適した場所で止まって通話しましょう

ヘッドセットのように、マイクのついたイヤフォンをつけて歩きながら通話している人が目立つようになりました。あまり周囲に気を遣っていないようで、大きな声で歩きながら話をしていることもあります。歩道ですれ違ったり、交差点で信号待ちをしたりしているときに、このような人がいると、「この人は誰に向かって話している？わたし？」と慌てることもあります。

自動車の運転者は、運転中のスマホの操作が禁止されています。同時に都道府県などの条例で、イヤフォンをしての運転や通話も注意するように言われています。とすれば、歩道を歩きながらのスマホ使用も危険なのですから、イヤフォンをして通話しながらの歩行もやめた方がよいでしょう。歩きながら通話しなければならないシチュエーションは多いとは思われません。人通りの少ない歩道脇などに止まって、落ち着いて通話するようにしましょう。

10.5

ドライバーはハンズフリーならスマホを操作してもよいか？

はい、声での操作は違反の対象となりません

自動車の運転中にスマホに電話がかかってきたとき、スマホをハンズフリーに設定したり、Bluetoothでカーナビに通話を飛ばしたりしていれば、スマホを操作したことにはなりません。この根拠は、「道路交通法 第71条 5の5」「停止しているときを除き、携帯電話用装置（その全部又は一部を手で保持しなければ送信及び受信のいずれをも行うことができないものに限る。）、を通話のために使用し、又は画像表示用装置（ナビとかモニター）に表示された画像を注視しないこと。」に抵触していないからです。

なお、都道府県が独自に定める条例にも、運転中のスマホ使用を念頭に置いたものがあります。例えば、「東京都道路交通規則第8条」では、「高音でカーラジオ等を聞き、又はイヤホーン等を使用してラジオを聞く等安全な運転に必要な交通に関する音又は声が聞こえないような状態で車両等を運転しないこと。」のように、ハンズフリーのスマホから出力される音量が違反になる可能性があります。

10.6

データバックアップの方法

バックアップサービスを利用

スマホは持ち歩きながら使用する精密な電子機器であるため、故障や破損、紛失のリスクをより多く抱えています。破損したり紛失した場合は、内部に保存していたデータも喪失したりします。アプリストアなどから購入したアプリは、新しく購入したスマホに再インストールすることができます。

データは、ほかのストレージにコピーするようにしましょう。この操作をデータバックアップといいます。データバックアップするストレージは、家庭や会社のPCでもよいですが、セキュリティがしっかりしているインターネットストレージを利用するのが便利です。

キャリア各社あるいはスマホメーカーがバックアップ用のストレージを提供している場合があります。あるいは、オンラインストレージアプリ（OneDrive、Dropbox、iCloud、Google Driveなど）をインストールすると、無料で数GB程度の容量を利用できます。バックアップ用のアプリを使用することで、選択したフォルダー内のデータを指定したタイミングで自動的にアップロードすることができます。

便利技 スマートフォンのデータを保存しておく（バックアップ）

どこにでも携帯するスマホは、破損（破壊）や紛失（盗難）のリスクがあります。スマホの中のデータをバックアップ（保存）しておけば、スマホがなくなっても、新しいスマホにデータを保存し直すことができます。

Androidでは、メモリカードのSDカードにデータのバックアップを作成する例を説明します。❶「設定」アプリを起動➡❷「システム」をタップ➡❸「データ引継」をタップ➡❹「SDカードにデータ保存」をタップ➡❺メモリカードに保存するデータをタップ（レマークがつく）➡❻「保存」をタップすると、SDカードにバックアップが作成されます。

iPhoneでは、iCloudにバックアップを作成します。iPhoneがインターネットに接続している必要があります。❶「設定」アプリを起動➡❷「自分の名前」をタップ➡❸「iCloud」をタップ➡❹「iCloudバックアップ」をタップ➡❺「iCloudバックアップ」をオン（緑色）にすると、iPhoneのデータがiCloudに自動的にバックアップされます。

Android

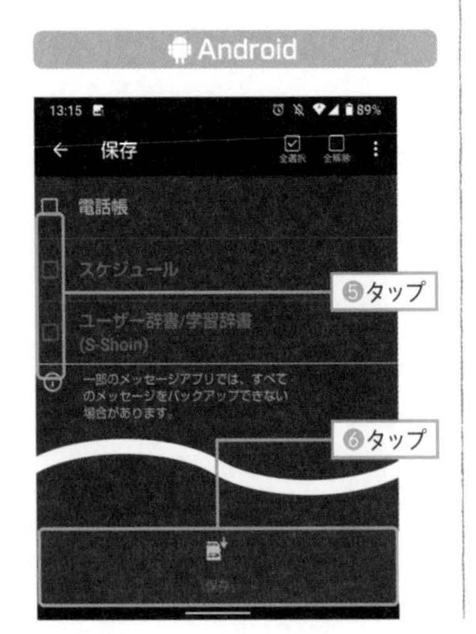

iPhone

Apple Japan提供

●Androidスマホ専用のバックアプリを利用する

「Y!バックアップ」アプリは、専用のクラウドサーバーにスマホのデータをまとめてバックアップしてくれるアプリです。このアプリは、連絡先、画像、動画を選択的に保存します。バックアップしたデータはまとめて復元することも、選択したファイルだけをダウンロードして復元することも可能です。

▼Yahoo!かんたんバックアップページ

https://www.ymobile.jp/service/ymobile/box/

●iPhoneのデータをバックアップする

iPhoneの場合は、パソコンにデータをバックアップする方法とクラウドのiCloud（アイクラウド）へ保存する方法の2つがあります（iCloudは5GBまでが無料）。

●Windowsにデータをバックアップする

Windowsにバックアップするには、Windows用のiTunesを使います。

▼Windowsパソコンの iTunesで iPhone、iPad、iPod touchをバックアップ

https://support.apple.com/ja-jp/HT212156

Windows パソコンの iTunes で iPhone、iPad、iPod touch をバックアップする方法

iPhone、iPad、iPod touch をバックアップしておけば、万一デバイスを交換、紛失、損傷したときも大切な情報のコピーがあるので安心です。

1. Windows パソコンで iTunes を開きます。Windows パソコンに iTunes がない場合は、iTunes をダウンロードしてください。
2. USB ケーブルでデバイスをコンピュータに接続します。
3. デバイスのパスコードの入力画面や、「このコンピュ

Apple Japan提供

・Macにデータをバックアップする

Macにバックアップするには、MacとiPhoneをケーブルで接続してから、Finderに表示されるiPhoneを選択して作業を進めます。

▼MacでiPhone、iPad、iPod touchをバックアップする方法

https://support.apple.com/ja-jp/HT211229

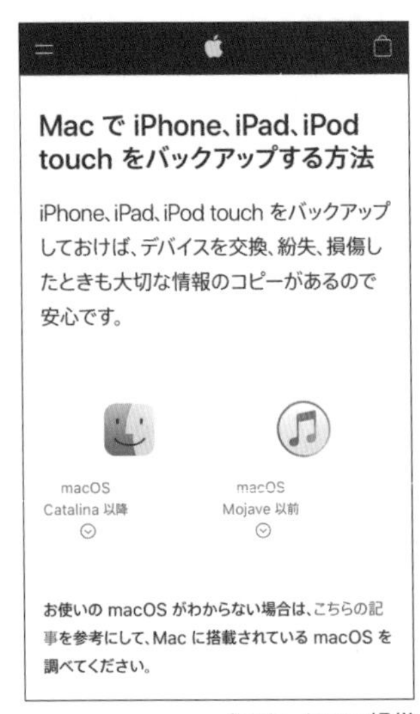

Apple Japan提供

・iCloudにデータをバックアップする

Wi-Fiを使ってiCloudに接続して作業を進めます。

▼iCloudでiPhone、iPad、iPod touchをバックアップする方法

https://support.apple.com/ja-jp/HT211228

Apple Japan提供

※iCloudはWi-Fiネットワークを通じて接続する必要があります。

10.7

落下による破損と対処

画面のひび割れの対処法

スマホを道路に落としたり、机に置かれているスマホが床に落ちたりした場合に、スマホ本体が破損したときの対処です。まず、電源が入らなければ、もう修理に出すしかありません。販売店やサービス店に持ち込むか、あるいは宅配便等で送付します。

電源が入る状態であっても、急いでクラウドにデータのバックアップをしましょう。いつ電源が入らなくなるかわかりません。

画面が割れてしまったとき、ガラスの破片でけがをする可能性があるほどバキバキなら、画面操作はもうできません。修理に出します。画面を見ることができ、なんとかタップ等の操作が可能なら、データのバックアップができます。

画面にひびが入った状態でも、液晶が無傷で操作に支障がなければ、使い続けることもできます。保護フィルムを貼るとよいでしょう。

落としてもダメージを小さくする工夫

スマホを落としたときの損傷を軽減するには、スマホケースや保護フィルムを使用します。これらのカバーは、ないよりはあった方が損傷を軽減できますが、もちろん完全ではありません。ケースに入れるのは当然ですが、首から下げるのはあまりおすすめできません。

▲シリコン素材のスマホケースの例

10.8

水没させたとき

すぐに乾燥させるのが基本

スマホが水没したら、すぐに水から引き上げ、とにかく電源を切ります。スマホについている水滴をふき取り、乾燥させます。スマホは精密電子機器なので、内部に水が入ると、高い確率で故障します。

水から引き上げたら、次のようにしてスマホを乾燥させます。まずは、タオルやティッシュペーパーなどで表面の水気を吸い取り、湿度の低い部屋でスマホに風を当てて自然乾燥させます。汚れた水に水没させたときには、洗いたいかもしれませんが、丁寧に汚れをふき取る程度にした方がよいでしょう。なお、表面の水気をとるため、ストーブに当てたり、電子レンジに入れたりするのは最悪です。

生活防水ではないスマホでも、ケース内には簡単には水が入らないようになっています。ケースのつなぎ目、ボタンの隙間などから水が入らないように気をつけましょう。イヤホンや電源ケーブルのつなぎ口には、金属の端子があります。さびを防ぐためにも水をためないようにしましょう。

十分に乾燥させても、心配なら販売店やサービスに点検・修理に出すのがよいでしょう。

10.9

音声通話の節約術

相手の通話方法に適したプランで

スマホを使って固定電話などに電話をかけると、比較的高い料金がかかる場合があります(「かけ放題プラン」など、料金プランによっては定額になることもあります)。

NTTの一般固定電話の場合、初期費用(施設設置負担金)として39600円がかかります。さらに、固定電話では遠くにかけるほど料金が高くなります。

スマホの電話や固定電話に比べると、IP電話の方が料金では有利です。インターネットを介して音声データをやり取りする電話(IP電話)の電話料金は、格安あるいは無料です。

IP電話の種類はいくつかありますが、よく利用されているのはLINEの音声通話です。LINEアプリ同士なら基本的に料金は無料です。そのほかにも「050 plus」や「Skype番号」などがあります。いずれも、固定電話よりは割安な料金体系です。

IP電話の画面▶

10.10

バッテリーを節約する

無駄な使用を減らす

スマホのバッテリーの性能を示す値の1つは、「mAh」です。例えば「3200mAh」とあれば、「3200mAの電流を1時間供給できる」ことを示しています。このため、一般にこの数値が大きいほど、1回の満タン充電で長い時間、スマホを使えます。

もう少し詳しく説明すると、スマホが消費する電力は、画面表示、バイブレーション機能、スピーカーの音声、外部機器の駆動電力、ストレージの動作電力、アンテナを含む通信に関わる電力、そしてCPUや各種センサーが使用する電力などです。スマホのOSが使用する電力の節約には限りがあります。何がどれだけ電力を消費しているかは、設定アプリのバッテリー項目などで確認することができます。

あまり使っていないのに、大量の電力を消費している項目があれば、それらの使用を控えるなどで、バッテリーを節約し、長期間スマホを使えるようになります。

バッテリー使用量の確認▶

便利技 節電してバッテリーを長持ちさせたい（バッテリー）

バッテリーが残り少なくなってきたら、バッテリーを節約する節電モードに切り替えて、なんとか乗り切ります。

・画面の明るさを変更する
・通信関連の設定を使うときだけオンにする（Wi-Fi、ブルートゥース、GPSなど）
・不要な通知はオフにする
・バッテリーを節約モードにする

なお普段から最新のソフトウェア（OSやアプリ）に更新しておくことも大切です。Androidには、機種によって名称が異なりますが、バッテリーを節約するモード（「バッテリーセーバー」「省電力モード」など）、iPhoneでは低電力モードがあります。

Androidでは、❶「設定」アプリを起動➡❷「電池」をタップ➡❸「長エネスイッチ」をタップ➡❹「今すぐONにする」をタップしてオンにします（例はAQUOS sense5Gの場合）。

iPhoneでは、❶「設定」アプリを起動➡❷「コントロールセンター」をタップ➡❸「コントロールをカスタマイズ」をタップ➡❹「低電力モード」をタップしてオンにします（緑色）。

Android

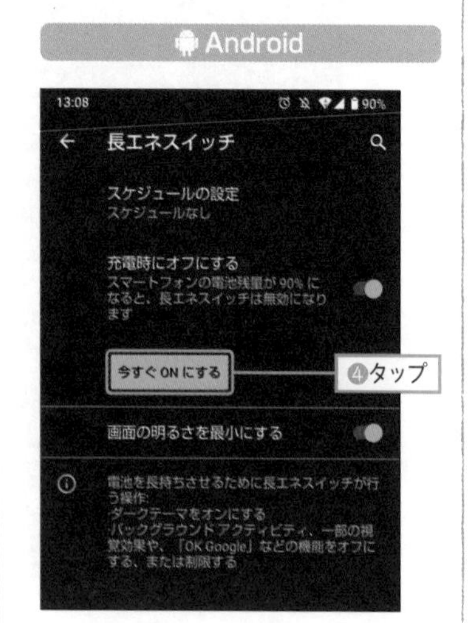

iPhone

Apple Japan提供

10.11

バッテリーを長持ちさせる

充電回数を減らす工夫

スマホのバッテリーは充電と放電を繰り返します。バッテリーの性能は、これを繰り返すことで悪くなります。

スマホのバッテリーに使われているリチウムイオンバッテリーは、高温に弱く、最悪の使い方では爆発することもあります。気温が45℃以上の環境に長く置くと、バッテリーの劣化が早まります。スマホを充電しながら使うのもよくありません。

バッテリー残量20〜80%で使用することが、バッテリーをできるだけ長く使うコツといわれています。また、充電回数を減らさなければならないわけですから、バッテリーのためには不要な電力消費を減らすのが大切であるとわかります。

一般的な使用で、多くの電力を消費するのは、画面表示、通信、長時間のバイブレーションや大きなボリュームでの音声出力です。画面表示では、背景を黒くしたダーク表示にします。通信では、使っていなくても一定時間で通信するアプリもあるため、不要なアプリは削除するのがよいでしょう。バイブレーションや音声出力は小さ目に、できるだけ短時間にしましょう。

10.12

スマホ制限アプリの利用

アプリでスマホ使用を管理する

スマホ制限アプリとは、スマホの使用を“我慢する”機能を備えたアプリです。スマホ依存やスマホ中毒といった自覚症状がある人、あるいは使いすぎかどうか知りたい人は、一度、スマホにインストールしてみるとよいでしょう。

スマホの使用を制限するタイプには、スマホを操作しないことをゲーム化したものがあります。その“報酬”として、使わない時間に動物や植物が育つものや、ポイントやギフト券が得られるものなどがあります。

スマホの機能を強制的に制限するタイプには、ほとんどの機能をある時間帯にロックしたり、制限時間を超えるとアラームを鳴らしたりするものがあります。このタイプの制限アプリは、子供のスマホに制限をかけるときにも使用できます。

▲制限アプリの例

10.13

スマホショップの利用法

買うだけじゃない利用法

スマホを最初に購入するとき、どこで買おうか迷いますね。オンラインでもスマホが購入できます。機種とサービスを選ぶと、数日内には本体が届きます。初期設定は自分（または家族や友人）で行います。ここにハードルを感じるなら、店舗で購入することを勧めます。スマホライフのスタートは、できるだけ簡単にしたいものです。

スマホを使い始めると、わからないことが出てきます。もっと便利に、もっとスピーディーに操作したいと思います。既に使い込んでいる人が近くにいれば、訊いてみましょう。たいていは、喜んで教えてくれるでしょう。

近くに相談できる人がいないときは、店舗を利用することを推奨します。スマホを店舗で購入して1、2カ月経ったころ、その店舗を予約して訪れてみましょう。困りごとを相談して、基本操作はもちろんのこと、便利な裏技も聞けるかもしれません。どんなアプリを入れたらいいか、バッテリーを節約する方法などの説明をわかりやすく丁寧に教えてくれるでしょう。サービスプランの見直しも率直に尋ねてみましょう。なお、店舗やキャリアによっては、このような利用者へのサービスが有料の場合もあります。詳しくは販売店やホームページなどで確認するようにしてください。

10.14

スマホの緊急充電

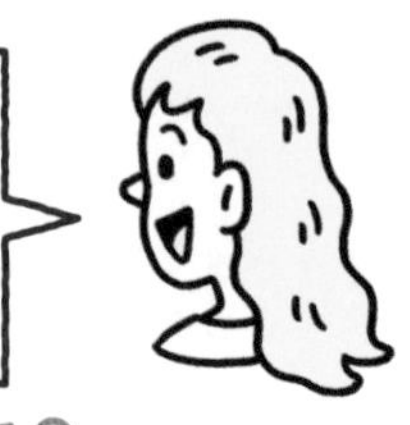

バッテリー残量にハラハラ！ どうする？

戸外でバッテリーの残量が少なくなったとき、緊急にスマホを充電したいと思ったことがありませんか。バッテリー残量が数％を切ると、いつ使えなくなるか、ハラハラします。

このようなときに便利なのが、携帯用バッテリー（モバイルバッテリー）です。スマホの充電口に対応した複数のポートをあらかじめ備えているものもあります。また、家庭用コンセントで充電できるように、折りたたみ式のプラグを備えているものは、旅行や出張に持っていくのに便利です。

スマホの販売店や家電量販店の多くには、無料の充電器が備えられています。カラオケ店、病院、カフェなどには、有料の充電ボックスを備えているところもあります。

◀モバイルバッテリー

便利技 早く充電を終わらせたいなら電源をオフにしてから

スマートフォンの充電を早く終わらせるには、スマートフォン本体が電力を消費していない状態にします。

①スマートフォン本体の電源をオフにする➡②充電を行います。

充電に適したバッテリーの状態は、残量20~50%がベストといわれています。なお、急速に充電できる方法もありますが、USB PDに対応している急速充電対応のアダプタが必要です。iPhoneの機種によっては、USB-C端子付きのLightningケーブルが必要になることもあります。それぞれ別途購入する必要があります。

なお、スマートフォンなどで使われているリチウムイオンのバッテリーは、使用状況によっては劣化が進んでしまいます。次のことに注意してください。

・バッテリーの残量がゼロになる前に充電する（ゼロになると劣化する）
・充電しながらスマートフォンを使わない

Android iPhone共通

「BSMPA2402P2CBK」by Buffalo

Lightning端子とUSB-C端子

10.15

闇バイトの恐怖

簡単に高収入を謳う闇バイト

スマホは、移動しながら情報を得るためにも、メッセージをやり取りするためにも必須のアイテムになっています。インターネットの情報の中には、「簡単にできる金儲けの方法」などの怪しい情報も多くあります。SNSや掲示板サイトで闇バイトを募集したり、大手の求人サイトでも「配送」や「デリバリー」を謳って闇バイトを募集したりすることもあります。

比較的多額の報酬が簡単に得られる闇バイトでも、最初は威圧的な扱いはなく、丁寧で親切な対応で人集めをします。その中で巧みな話術を使って、免許証やマイナンバーの写しを送れとか、学生証を預かるとか言います。うっかりその手に乗ってしまうと、闇バイトを抜けようとしたとき、家族や学校に知らせるとか危害を加えるとかの脅しを受けます。このため、やめようとしてもやめられず、反対にもっと苛烈な仕事をやらされます。

最初から闇バイトと掲げることはほとんどありません。このため、おかしいと思ったら契約前に雇い主についてをよく調べることが重要です。できるなら契約前にバイト内容については信頼できる大人に相談しましょう。また自宅や家族のことがわかる資料は雇い主に見せないようにしましょう。

10.16

ネット通販、格安価格と高額送料

送料や所要日数も要チェック

オークションサイトやオンラインショップの廉価な商品表示に飛び付いた購入者に、高額の送料を請求する手口があります。例えば、1円でオークションサイトに出されているアンダーウェアの送料が一般のものより高額に設定されていたりします。海外のショップから購入する場合も、送料がいくらになるのか、発送から到着までどれくらいの日数がかかるかなど、あらかじめ確認するようにしましょう。

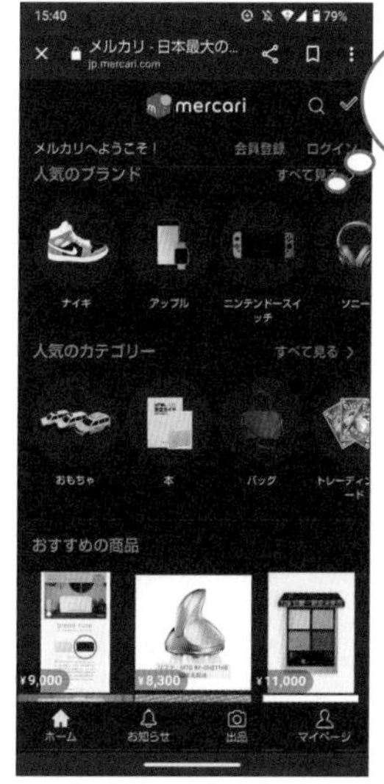

▲ネットオークションサイト[mercari]の画面

10.17

無料サイトとサイト内課金

無料では一部しか楽しめないサイトもある

同じような機能なら無料アプリを選ぶ人が多いでしょう。無料アプリが商業的に成り立つ仕組みの1つは“広告”です。無料アプリの決まった場所には、広告のバナーが表示され、有料版に変更しない限り、このバナーを消すことができない仕組みになっています。別の無料アプリでは、アプリの区切りになると、全面広告が表示され、一定時間それを視聴させられます。

無料アプリのもう1つの“儲け方”は、サイト内課金という仕組みです。これは、サイト内で実行できる機能（項目）に無料のものと有料のものをそろえておく、というものです。多くの場合、有料の機能（項目）には、利用者にとって魅力的なものがあり、そのアプリを使っていくと、有料の機能（項目）が欲しくなる、といった戦略です。

ゲームアプリの中には、ゲーム内で優位になるために有料のアイテムを購入できる仕組みがあります。このとき購入するアイテムが、何になるかが決まっていないシステムが「ガチャ」です。ガチャでは、自分が欲しいアイテムが出るまで購入し続けて、結果として多くの料金がかかってしまうことが問題になることがあります。

ゲームのアプリ内課金をさせない設定にする（アプリ内課金）

子供のスマートフォンでは、親の承諾なしにアプリやゲームアプリなどでの課金に応じることができないようにしておきましょう。

Androidでは、❶Google Playストアのアプリを起動➡❷右上にあるアカウント名アイコンをタップ➡❸「設定」をタップし、「購入時には認証を必要とする」をタップ➡❹「このデバイスでGoogle Playから購入するときは常に」をタップ➡❺Googleで設定しているパスワードを入力➡「OK」をタップすれば完了です。

iPhoneでは、❶「設定」アプリを起動➡❷「スクリーンタイム」をタップ➡❸「このiPhoneはご自分用ですが、それともお子様用ですか？」画面で「これは子ども用のiPhone」をタップ➡❹「コンテンツとプライバシーの制限」をタップ➡❺「コンテンツとプライバシーの制限」をタップしてオン（緑色が見える）➡❻「iTunesおよびApp Storeでの購入」をタップ➡❼「App内課金」をタップして「許可しない」をタップすれば完了です。

Android

iPhone

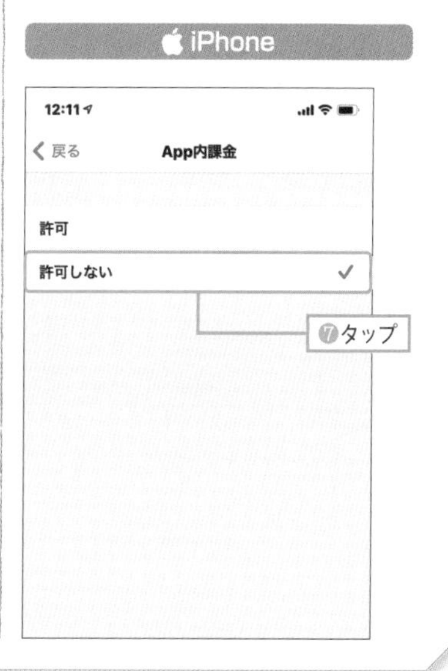

10.18

海外でスマホを使うときの注意点

ローミングには注意！

海外でスマホを使う場合には、日本国内とは料金体系が異なる場合があることを知っておきましょう。パケット（データ通信量）使い放題、電話かけ放題の料金プランに入っていたからといって、海外でも同料金で使い放題、かけ放題――は通用しません。

契約している国内の通信会社の電波は、海外まで届きません。海外旅行では、旅行先の国の通信会社の電波を借りることになります。これを国際ローミングと呼びます。スマホには国際ローミングをオン/オフする設定があります。これをオンにしたまま、無制限にデータ通信を行うと、高額な料金を請求されることになります。

ローミングや海外からの電話について、設定方法や料金がわからない場合は、利用しているキャリアのヘルプデスクに問い合わせるか、スマホの販売店に出向いて設定を確認してみましょう。

10.19

手袋をはめて操作するには

特別な手袋が必要

冬の寒い日に戸外でスマホを操作する場合や、モーターサイクルの運転途中で（停止中に）スマホを操作する場合など、グローブ（手袋）をはめているとスマホ画面への操作が認識されないことがあります。これは、スマホ画面の位置認識に生体との電位差を利用しているためで、指と画面の間に布や毛があると指の操作が認識できないのです。

導電性素材を使用した手袋は、はめたままでスマホの画面操作ができます。「スマホ対応」「タッチパネル対応」などと記述のあるグローブです。また、指先が出る手袋もあります。

▼スマホ手袋の例

by Hideto KOBAYASHI

10.20

スマホの廃棄

スマホを捨てるときのマナー

不要になったスマホを捨てる場合には、いくつかの点で注意が必要です。資源のリサイクルの観点からは、スマホに使用されている貴重な金属類を再利用することが求められています。このため、スマホ本体は、家電量販店のほか、自治体でも回収ボックスなどを設置しているところがあります。ここに持ち込めば無料で処理できます。オンラインで購入した場合でも、中古スマホとして再販売することが可能な場合には、買い取ってくれることもあります。

パソコンやスマホなどのIT機器専用のリサイクル業者では、段ボール箱などにスマホその他を入れて送付する所定の方法（オンラインで検索可能）で引き取ってくれる場合もあります。

なお、スマホバッテリーに関しては、発火等の危険性があるため、絶対に一般ごみに混ざらないように処理しなければなりません。

▲スマホの回収サービス

10.21

ユーザー補助機能を使ってみる

ハンディキャップを持った人だけの機能ではない

ユーザー補助機能は、身体にハンディを抱えている人やシニア世代に向けた、スマホ操作を助けるための機能の集合で、おもに操作性に関するものです。例えば、画面の一部分を拡大して表示したり、画面操作で電源オフにできたりします。

ユーザー補助機能をオンにしておくことで、ハンディのない若い人でも便利にスマホを使えることがあります。ユーザー補助機能は、スマホ画面のボタンタップですべての機能を実行できます。例えば、画面のスクリーンショットを撮るとき、一般には本体横のボタンを複数同時に押したり、画面操作でも複雑な操作が必要だったりします。しかし、ユーザー補助機能を使えば、ボタンタップだけでスクリーンショットが撮れます。電源オフもユーザー補助機能で可能です。本体にカバーがつけられていて、簡単には横の電源ボタンを押せないときなど、本体のシャットダウンや再起動、緊急通報なども、ユーザー補助機能でも可能です。

10.22

目覚まし時計のエチケット

まだ寝ていたい人へのエチケット

最近は朝起きるときに、目覚まし時計ではなく、スマホの時計アプリにある目覚まし機能を使って人が多いようです。同じ部屋で家族といっしょに寝ている場合には、目覚ましの音で他の人を起こしてしまわないように気をつけることもあるでしょう。従来の目覚まし時計では、個別に目覚ましの設定をすることは難しかったのですが、スマホなら一人ひとりが自分の起きる時刻を設定できるので、まだ眠っていたい人を起こしてしまうことが減ります。

他の人を起こさずに自分だけ起きるには、音声による目覚ましよりも、振動を使うのがよいでしょう。スマホを着衣のポケットに入れておけば、他の人に気づかれずに起きることができます。

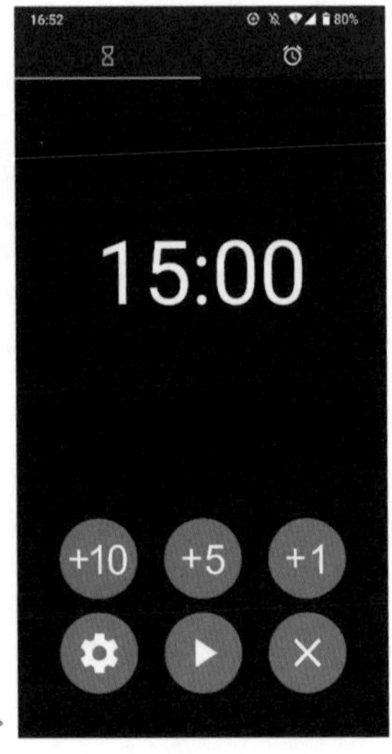

イヤホンアラームの画面▶

10.23

スマホ保険の内容と値段

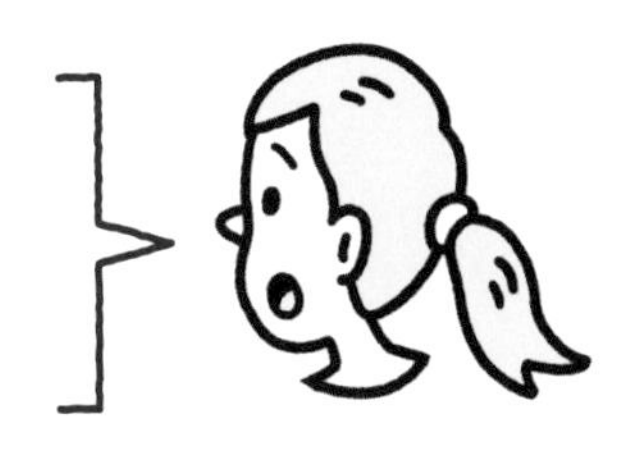

スマホキャリアによる保証サービス

スマホ回線の使用をキャリアと契約するときに、各社の保証サービスに加入するかを選択することができます。これらのサービスの内容は、会社によって異なりますが、スマホ本体の故障や破損、水濡れ、紛失といったトラブルに対して、本体を交換するのがサービスの柱となっています。保証サービスの料金も各社異なりますが、多くは月額数百円程度からです。Apple Care+は、機種ごとに料金が異なります。最新のサービス内容や料金は、各社のWebページなどで確認してください。

▼携帯電話各社による保証サービス（2023年11月現在）

docomo	ケータイ補償サービス	¥363/月～
au	故障紛失サポート	¥418/月～
SoftBank	あんしん保証パック あんしん保証パックプラス	¥550/月～ ¥715/月～
Rakuten Mobile	スマホ交換保証 スマホ交換保証プラス	¥550/月 ¥715/月
Apple	Apple Care+	¥1580/月（iPhone 15 Pro Max） ※機種によって変わる

スマホ保険

格安SIMなどのユーザーも任意に加入できるスマホ保険もあります。例えば、格安SIMを搭載したスマホ用のMYSURANCE社の保険（スマホ保険）では、2つのプランがあり、保証範囲や内容が異なります。保険料は、キャリアが用意する前述の保証サービスと同じレベルです。

このほかにもいつくかのスマホ保険が存在します。どの保険もオンラインで比較的簡単に加入することができます。

▼スマホ保険（MYSURANCE）

	スタンダードプラン	ライトプラン
保険料	¥470/月	¥200/月
破損・汚損	○	○
水濡れ	○	×
故障	○	×
データ復旧	○	×
盗難・紛失	○	×
保険金額	最大10万円 （保険期間通算で20万円まで）	最大5万円 （保険期間通算で10万円まで）
自己負担額	3,000円　（破損・汚損、水濡れ、故障のみ）	
保険期間	1年（その後は自動更新）	

▼モバイル保険（さくら少額短期保険）

保険料	¥700/月
保険金額	年間10万円

▼スマホケ（ワランティ少額短期保険）

保険料	¥100/月（故障）、破損、水濡れ、盗難各オプション@100/月
保険金額	年間最大10万円

裏技 マスクをしていてもiPhoneのロックを解除できる（顔認証） iPhone

マスクをしているときは顔認証ができないので、パスコードを入力してiPhoneを開くことになりますが、Apple Watchがあれば iPhoneのロックを解除することができます。

❶「設定」アプリを起動して「Face IDとパスコード」をタップ➡❷「Face IDとパスコード」の「APPLE WATCHでロック解除」をタップしてオン（緑色）にする➡❸表示される確認画面で「オン」をタップします。

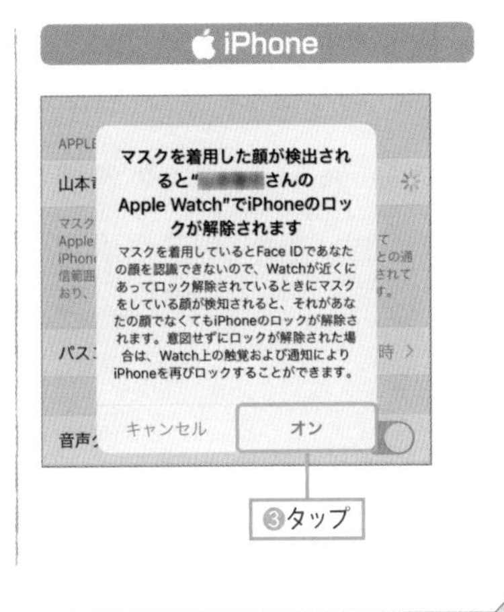

10.24

生体認証の推奨

便利で簡単、高いセキュリティ

生体認証機能を備えているスマホでは、いちいちパスワードを入力する手間が省けるだけでなく、そもそもパスワードを覚えている必要もなくなります。このため、シニア世代に限らず、誰もが利用して便利に感じることができます。

スマホの生体認証として最も多く使用されているのは指紋認証や顔認証でしょう。指紋認証では、センサーに指を当てるだけですぐに本人認証が完了します。顔認証はスマホのカメラを使って認証が行われるため、スマホの画面を見ただけで認証が完了します。

これらの生体認証を使用する場合の最大の注意点は、生体認証であっても破られる可能性があるということです。公開されたピースサインの写真から指紋データを生成して生体認証を突破しようとしたり、顔写真によって顔認証を騙そうとしたりする事案が発生しています。生体認証は、非常に便利でセキュリティ的にも高レベルのシステムですが、過信しないようにしましょう。

10.25

スマホでPCのキーボードを使うには

Bluetoothでつなぐのが便利

PCを使わずにスマホで文書作成やデータ入力をするときに、文字や数字の入力操作が不便だと感じることがあるかもしれません。効率的な入力作業にはやはりキーボードが有効です。スマホには、Bluetoothキーボードを接続しましょう。

複数の接続デバイスを切り替えて使用できるBluetoothキーボードを使えば、PCでもスマホでも同じように入力作業をすることが可能になります。

by 藤木 裕

▲スマホ用のPCキーボード

10.26

スマホのごみ箱はどこにあるの？

削除したファイルはごみ箱へ

スマホのOSには、アプリから削除されたファイルを一括で一時保管するごみ箱機能はありません。しかし、同じような「ごみ箱」機能は、おもなアプリにあります。

例えば、Androidスマホの写真や動画の管理などを行う「Googleフォト」アプリでは、「ライブラリ」に「ごみ箱」フォルダーがあります。ちなみに、Googleフォトアプリのごみ箱フォルダー内の画像ファイルは、Googleドライブにバックアップしない場合は30日、バックアップした場合は60日で完全に削除されます。

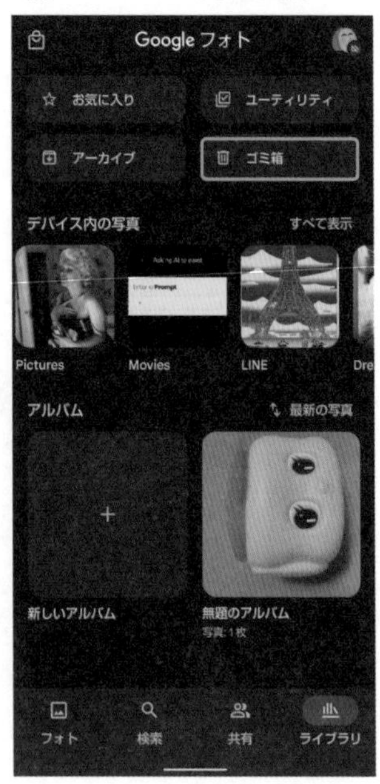

アプリ中のゴミ箱▶

10.27

削除データを復元する

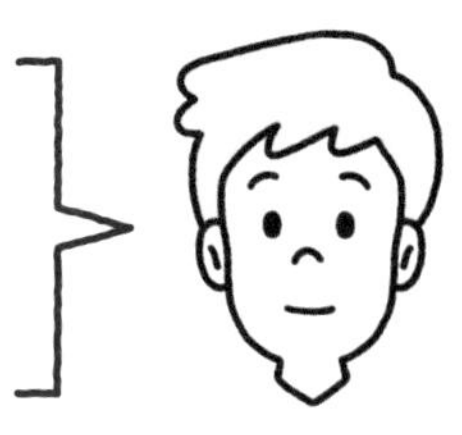

ごみ箱から削除しても復元できるかも

スマホのストレージ内に保存したファイルを削除しても、実際にはストレージ内にデータは記録されていて、ファイルを見つけて取り出すためのフラグが取り外されるだけです。そのため、特殊なソフト（データ復旧ソフト）を使用することで、スマホ内の削除ファイルを復元できる可能性があります。

例えば、Android用のデータ復旧ソフト「UltData for Android」は、パソコンにインストールします。パソコンとスマホをUSB経由で接続したら、ソフトを使って削除データの復旧作業を行います。

なお、削除したストレージ領域に新しいデータが上書きされると、復旧が難しくなります。データの復旧は、削除してからできるだけ早く行うのがよいとされています。

データ復旧用アプリの画面▶

スマホ各社の フィルタリングサービス

契約者またはスマホの使用者が18歳未満の場合には、携帯電話会社（キャリア）やその代理店はフィルタリングについて説明する義務があります。キャリアごとのフィルタリングサービスには、次のようなものがあります。サービスの詳細は、スマホを購入する事業者などに確認しましょう。

<table>
<tr><th rowspan="2"></th><th colspan="2">Webを対象とした
フィルタリング</th><th colspan="2">アプリを対象とした
フィルタリング</th></tr>
<tr><th>Android</th><th>iPhone</th><th>Android</th><th>iPhone</th></tr>
<tr><td>ドコモ</td><td rowspan="6">あんしん
フィルター</td><td rowspan="6">あんしん
フィルター</td><td rowspan="6">あんしん
フィルター</td><td rowspan="7">スクリーン
タイム</td></tr>
<tr><td>ソフトバンク</td></tr>
<tr><td>au</td></tr>
<tr><td>UQ</td></tr>
<tr><td>ワンモバイル</td></tr>
<tr><td>Y!mobile</td></tr>
<tr><td>その他</td><td>各事業者の提供するフィルタリングサービス</td><td>各事業者の提供するフィルタリングサービス</td><td>各事業者の提供するフィルタリングサービス</td></tr>
</table>

あんしんフィルターの設定の種類と強度

あんしんフィルターの例えば「中学生モード」では、一部の「ゲーム」の使用が可能ですが（下図の白色のコンテンツ）、SNSの使用や出会い系、アダルト系のほか、特に刺激の強い内容や犯罪、暴力、不正IT技術に関する動画などの色の着いたコンテンツはブロックされます。

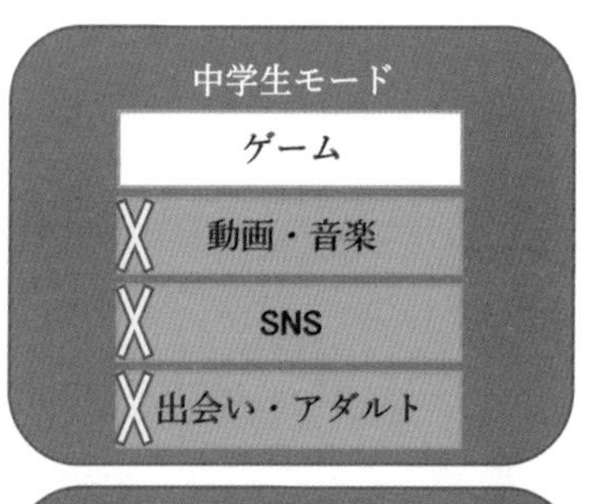

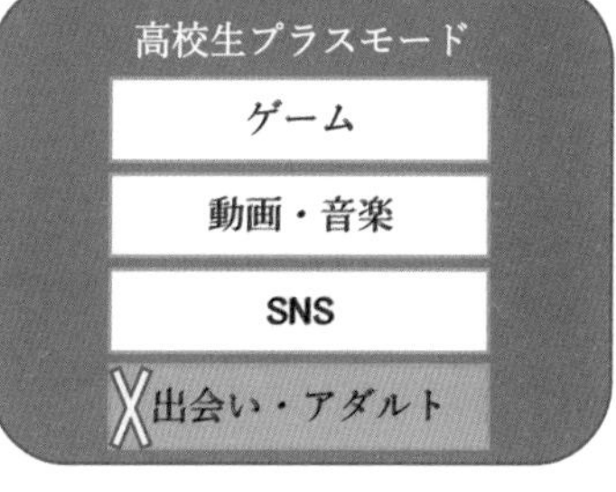

▲あんしんフィルターモードのブロック範囲

すぐに緊急SOSする

110番（警察）、119番（消防）、118番（海上保安庁）などに、緊急時に素早く通報・連絡することができます。

Androidでは、❶電源ボタンを押して、ロック画面から「緊急通報」をタップ➡❷表示された緊急連絡先を選ぶほか、テンキーをタップして110、118、119に通報できます。

あらかじめ緊急連絡先を設定しておくには、「設定」アプリをタップ➡「セキュリティと現在地情報」の「ロック画面の設定」をオンにします。

iPhoneでは、❶本体の右にあるサイドボタンと左にあるボリュームボタンを同時に長押し➡❷表示された画面の中から「SOS」ボタンを右にスライド➡❸通報先をタップすると緊急連絡できます。

事前に次の設定をしておきます。「設定」アプリを起動➡「緊急SOS」をタップ➡「自動通報」をオンにしておきます。

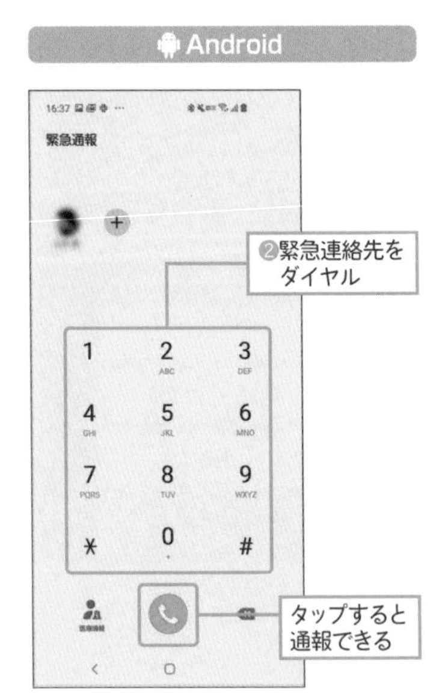

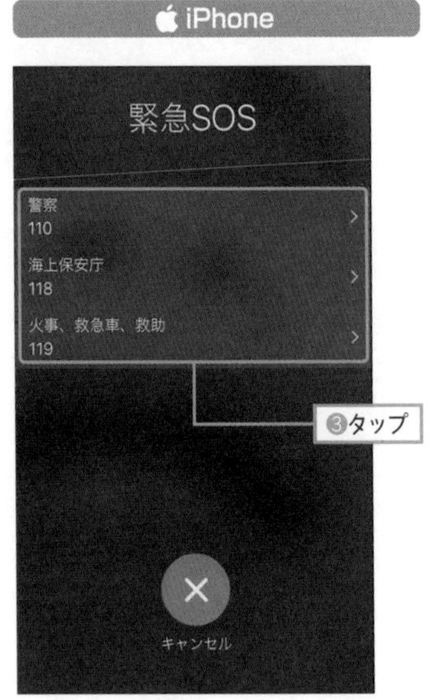

I N D E X

索引

[ひらがな/カタカナ]

[あ・ア]

[か・カ]

[さ・サ]

【た・タ】

[な・ナ]

[は・ハ]

[ま・マ]

[や・ヤ]

[ら・ラ]

[わ・ワ]

[アルファベット]

最新スマホとネットの
ルール&マナー事典

発行日　2023年12月23日　　第1版第1刷

著　者　野田ユウキ
編　著　秀和システム編集本部

発行者　斉藤　和邦
発行所　株式会社　秀和システム
〒135-0016
東京都江東区東陽2-4-2　新宮ビル2F
Tel 03-6264-3105（販売）Fax 03-6264-3094
印刷所　株式会社シナノ　　Printed in Japan

ISBN978-4-6972-2 C0055